A ESPADA DA JUSTIÇA

A ESPADA DA JUSTIÇA

KLEITON FERREIRA

© Kleiton Ferreira, 2024
Todos os direitos desta edição reservados à Editora Labrador.

Coordenação editorial Pamela Oliveira
Assistência editorial Leticia Oliveira, Jaqueline Corrêa
Projeto gráfico, diagramação e capa Amanda Chagas
Preparação de texto Renata Alves
Revisão Carla Sacrato
Imagem de miolo Freepik
Imagem de capa Amanda Chagas

Dados Internacionais de Catalogação na Publicação (CIP)
Jéssica de Oliveira Molinari - CRB-8/9852

Ferreira, Kleiton
    A espada da justiça / Kleiton Ferreira.
São Paulo : Labrador, 2024.
160 p.

    ISBN 978-65-5625-478-4

    1. Ficção brasileira I. Título

23-6161   CDD B869.3

Índice para catálogo sistemático: 3ª reimpressão – 2024
1. Ficção brasileira

Labrador
Diretor-geral Daniel Pinsky
Rua Dr. José Elias, 520, sala 1
Alto da Lapa | 05083-030 | São Paulo | SP
contato@editoralabrador.com.br | (11) 3641-7446
editoralabrador.com.br

A reprodução de qualquer parte desta obra é ilegal e configura
uma apropriação indevida dos direitos intelectuais e patrimoniais
do autor. A editora não é responsável pelo conteúdo deste livro.
Esta é uma obra de ficção. Qualquer semelhança com nomes, pessoas,
fatos ou situações da vida real será mera coincidência.

*Em memória de Eladio Lecey,
juiz e professor de quem tive a
fortuna de ser aluno*

PRÓLOGO

Meu nome é Dice. Alguns me conhecem por Dique, ou Diké. Eu sou filha de Zeus e, por ser muito parecida com minha mãe, até me chamam de Têmis. Trabalho fiscalizando o serviço dos juízes. Isso há uns dez mil anos, eu acho. Por muito tempo andei fazendo cabeças rolarem. Era interessante vê-las girar como bolas. Daí, inventaram a guilhotina e, abaixo do cepo, colocaram um balde. Consegue imaginar? Um balde! Quando não era um balde, era um cesto, o que dava no mesmo, porque as cabeças não rolavam mais. E eu tive de decorar todas aquelas leis, e tratados, e costumes, e doutrinas, e jurisprudências para quê?

O tempo foi passando...

... até o ponto que, depois de não usarem mais a espada ou machado, nem a própria guilhotina, nenhum juiz mais era decapitado. Nenhum! Zero. Os julgamentos acabavam no máximo com uma expulsão, como se o juramento que fizeram ao aceitar o ofício não servisse para nada.

Eu voltava aos berros para reclamar a meu paizinho, sem entender o que estava acontecendo no mundo. Meu propósito era ser a "Vingadora da Justiça", punir maus juízes que não aplicavam a lei corretamente e ver as cabecinhas rolarem. Mas papai nunca sabia responder, e quase sempre estava ocupado cuidando das picuinhas de minha mãe, minhas madrastas, algum irmão ou irmã, enfim.

O tempo foi passando...

...e fui perdendo o interesse nos tediosos processos, que em alguns lugares, como num país latino-americano chamado Brasil, demoravam anos e anos. Que diferença faria meu trabalho de "administrar a justiça" — e põe aspas aí — se nem são expulsos lá? Se antes eu via cabeças brancas rolarem, hoje, excelências, vejo-as aposentadas compulsoriamente. Eu que não ia perder tempo, tendo todo tempo do mundo.

O tempo foi passando, até que...

...achei ele: um juiz, e seu nome era Abraão. Com ele a história foi diferente; história que vou contar, desse juiz e a lei do país dele, o tal Brasil. A propósito, não tenho como contar esta fábula sem falar das leis de lá. Umas leis que a maioria não conhece ou não entende, e mesmo assim deve cumprir. Leis que poucos têm o poder de dizer o que significam e o que não significam, como se elas fossem um ser que se transforma, com múltiplas formas e aspectos, uma quimera maluca e histérica. E vou confessar: não é fácil contar esta história, porque essas leis são mesmo complicadas. Quase arranco a cabeça do meu editor. Sorte que ele não é juiz.

CAPÍTULO I

Abraão não sabe quando aconteceu, mas, depois de um tempo, sumiu dele o desejo de ter um milhão de reais em sua conta-corrente. Talvez tenham sido os infortúnios econômicos que o levaram à bancarrota desse sonho de ser rico. Primeiro foi o bloqueio das contas no governo Collor. Hoje Abraão sorri quando lembra, mas, na época, chegou a entornar algumas lágrimas. Aí veio um calote de dinheiro emprestado a parentes aqui ou ali, depois uma cirurgia muito cara e, mais à frente, os custos da faculdade e do casamento da filha, despesas que desde sempre ele fez questão de arcar.

— Samanta é minha única filha — disse uma vez ao colega, quando da entrega do convite para o casamento.

— Ah, única filha? Você tem filhos?

Abraão não entendeu a pergunta; eu também não entenderia. Mas respondeu "não". Depois percebeu que, para alguns, dizer "única filha" não é o mesmo que dizer "único filho". A maioria presumia que "único filho" era só um, ao passo que, com "única filha", talvez quisesse dizer que se tem apenas uma filha, embora sendo pai de filhos homens.

Voltando aos prejuízos. Um dia roubaram-lhe um carro importado caríssimo quando iam ao aeroporto, ele e a esposa, desfrutar de férias na Europa.

— Senhor Abraão... Senhor! Senhor! — a agente de polícia agitou a mão na sua frente.

— Oi, desculpa...

— Aqui está o boletim de ocorrência, vai precisar para o seguro.

A moça estendeu o papel. Abraão ficou olhando, a meio metro de distância. Os olhos claros e opacos, o rosto chupado. Bastava esticar o braço. Absorto, pensando no porquê dessa onda de azar, sua esposa, Maria Duarte, se adiantou e pegou o B.O.

— Obrigada, minha filha, mas o carro não estava no seguro, infelizmente. Acontece.

— Ah, eu sinto muito.

— Acontece. Com licença. Vamos, amor, o táxi chegou.

No fim, Abraão deu fé que custava muito mais manter o sonho de ficar rico do que realizá-lo. E bem pouco tempo depois, refletindo, concluiu que nem era um sonho seu. Não. Era, sim, de colegas do Jockey Club, e ele só não queria ser diferente.

— Abraão, troca esse carro. Eu sei que você se fodeu com o outro, mas um... Que carro é esse? Etios? Aí também não dá — sugeriu um deles ao final das partidas de tênis.

Ocupando o cargo de juiz federal há mais de vinte e cinco anos, não tinha do que reclamar, e vivia bem graças a seu subsídio, religiosamente depositado todo dia 21. Era para ser dia 20, mas só enviavam as folhas de pagamento no próprio dia 20, de modo que o banco creditava nas contas apenas no dia útil seguinte.

"Imagine o quanto esses judeus não ganham com nosso dinheiro num único dia de juros! Filhos da puta!", um colega uma vez escreveu a mensagem no grupo do futebol.

O texto ficou muito tempo exposto, e quando alguém avisou ao emissor, alertando que Abraão era judeu, já não era possível apagar.

"Desculpa aí, Abraão. Poxa cara, eu não sabia que você era judeu", outra mensagem chegou no privado.

"Sem problemas...", respondeu, mas achou um absurdo a opinião antissemita do colega, e se impressionou por ele próprio já ter, em algum momento, reclamado de forma semelhante.

Então se deu conta de que a revolta de muitos era mais com o que outros ganhavam do que com o que se deixava de ganhar. Incrivelmente o contrário não acontecia, porque só uma minoria se revoltava com o pouco ou quase nada com o que muitos lutavam para sobreviver.

O surto de lucidez parecia não ter fim, e Abraão, embora despreocupado, passou a reparar, entre pequenos e grandes detalhes, como se diversificava o tratamento de pessoas em semelhante situação, e como algumas delas criavam argumentos para não enxergar isso.

— Porra, Abraão, há uns anos eu ganhei 14% na renda fixa — mais um colega conversava com ele na copa dos juízes.

— Hum, foi? — perguntou sem muita atenção enquanto bebericava o café e o deixava falar.

— Claro, pelo menos nisso a presidente me beneficiou, na renda fixa em títulos do tesouro. Ganhei uma nota. Hoje é que está uma bosta, com esse ministro novo pagando 2% ao ano, 2% não é nem um terço da inflação. Estamos ficando mais pobres, Abraão. É foda. Enfim, meu consultor financeiro disse que se eu quiser mais, tenho que arriscar no mercado de renda variável. Uma porra que eu entro nessa loteria. Por que esse desânimo, cara?

— Ah, nada.

— Ânimo! Ano que vem as coisas vão melhorar.

E Abraão ficou a refletir: *estamos ficando mais pobres. Estamos?* A reflexão não parava ali e se alongava pelos meandros de sua vida, de suas necessidades, de seus bens materiais e espirituais, de sua família, de sua filha e esposa, as quais amava de todo coração.

Foram reflexões como essas que germinaram em Abraão mais curiosidade. Daí, mais reflexões. Daí, mais perplexidade com absurdos despercebidos, inclusive por ele, por quase toda sua vida. O mundo era muito injusto, e fazer justiça parecia distribuir injustiça a todos.

— Dr. Abraão.

— Pois não? — o juiz ergueu a cabeça para atender ao assessor que chegava ao seu gabinete.

— A minuta daquele caso já está pronta. Fiz como o senhor pediu. Não sei se vai dar certo. Digo, se é o que a lei diz, mas...

— Eu sabia que você teria um pouco de dificuldade. De toda forma, agradeço seu esforço. Muito obrigado, Marcelo.

— Não há de quê — o jovem respondeu e, antes de sair, parou, voltou-se e falou: — Sabe, doutor, pensando bem, acho que eu faria o mesmo.

O caso era de uma pensão por morte contra o INSS. Quem pedia era a mãe de um rapaz chamado Glauber, que enfartara com apenas 33 anos. Abraão, após uma análise inicial, viu que a lei dava — em tese — direito à mãe de receber a pensão, desde que preenchidos alguns requisitos.

Uma pausa. Para contar esta história, eu precisei estudar essas leis e, quando se passa muito tempo lendo isso, a gente nem percebe que começa a repetir tudo igual. Então, ficam já aqui as desculpas. Melhor avisar que ter outra interminável troca de e-mails com meu editor. Que saco!

Voltando. O primeiro requisito era que a senhora mãe de Glauber deveria comprovar que recebia alguma ajuda do filho enquanto vivo. O segundo era que ele deveria ter a condição de segurado no momento em que morreu. Por favor, não feche o livro. Talvez não lhe interesse em nada ler sobre requisitos e condições de leis, mas não sendo você um advogado ou estudioso da área é possível que ainda lhe permaneça a seguinte dúvida: o que é "condição de segurado"? Eu digo, e eu sou uma deusa, que é uma das coisas mais importantes que cada trabalhador ou trabalhadora deveria saber. Digo também, eu e a lei, que a condição de segurado é o status indispensável para se ter direitos previdenciários. É a condição sem a qual os velhos não se aposentam, sem a qual a grávida que dá à luz uma criança não recebe o salário-maternidade, sem a qual o enfermo que não pode trabalhar temporariamente não consegue seu auxílio-doença, e o acidentado, para sempre impossibilitado de trabalhar, não tem sua aposentadoria por invalidez, e assim por diante. Além disso, a condição de segurado de quem morre é o que dá à esposa ou esposo, ou à mãe (como a mãe de Glauber), o direito à pensão por morte.

Você tem condição de segurado? Aliás, como algo tão relevante assim é desconhecido para você? Reflita. Depois não vá mendigar a esses juízes velhos e abusados.

Bom, não havia dúvidas de que a senhora sempre recebeu ajuda de Glauber desde o exato momento em que o rapaz passou a trabalhar. Acontece que ele ficou desempregado, e aí é de se perguntar: o desempregado ainda tem condição de segurado? Seria deveras — que palavra bonita! — um infortúnio dos maiores perder o emprego e também o status que dá direitos previdenciários. Direitos que protegem de eventos e riscos imprevistos, como acidentes, doenças, desamparo pela velhice. Não, perder o emprego não fez Glauber também perder a condição de segurado, pois a lei dizia que o desempregado tinha até 24 meses de proteção, isto é, ele permaneceria como se fosse empregado por dois anos e, durante esse tempo, teria todos os benefícios de quem é assalariado. Chamavam isso de "período de graça", ironicamente por ser de "graça". Que falta de criatividade!

Sim, de graça, grátis, *free*, pois durante esse tempo o desempregado não precisava pagar o seguro mensal, ou seja, a contribuição para o INSS. Ah, então você não sabia que só tem direitos previdenciários se pagar contribuições periódicas a esse tal de INSS?

Voltemos ao Glauber. Sua mãe trabalhava como diarista para, de alguma forma, ajudar em casa. Além do mais, eles precisavam sobreviver. Um dia, indo para o trabalho, essa senhora sofreu um acidente num ônibus. Lesionando gravemente o tornozelo, não pôde mais fazer faxinas. Ela e o filho ficaram desamparados, já que a sua condição de diarista não lhe garantiu o auxílio-doença para o caso do acidente, pois nem a senhora pagava a contribuição ao INSS nem seus patrões. Ou seja, a mãe de Glauber não tinha condição de segurada. Era, na verdade, uma trabalhadora fantasma para a previdência. Muitos são, e vagam para cima e para baixo, invisíveis, ó almas penadas, ainda que se machuquem, adoeçam e envelheçam.

No desespero, o filho arrumou uma carroça de burro. Não era nenhuma biga, e ele não era nenhum Ben-Hur, mas essa foi a única ocupação que lhe apareceu em tão curto tempo. E com ela começou a fazer fretes, transportando mercadorias a dez reais a viagem, sob sol e chuva. Logicamente, ganhando tão pouco, Glauber também não pagou as contribuições, e se juntou a massa fantasmagórica. Foi numa dessas viagens que o rapaz passou mal e morreu.

Houve a audiência, e Abraão estava certo de que o INSS proporia o acordo. O rapaz tinha ficado desempregado há menos de 24 meses, e isso lhe dava a condição de segurado. Acontece que, diante das perguntas do advogado do INSS, a mãe não mentiu (ela sequer sabia das consequências), e falou que o filho era carroceiro.

Não fale isso, dona Maria, Abraão pensou, mas não pôde evitar.

O INSS, então, afirmou que o jovem faleceu enquanto era autônomo e que não havia prova de pagamentos mensais de guias do INSS. E isso era verdade. Assim como a mãe, que também não pagava quando fazia faxinas, Glauber não fazia ideia do que era essa contribuição.

— Ele era autônomo, e não pagava a guia mensal. Infelizmente não tem direito — disse o procurador, negando-se a fazer proposta.

— Mas doutor, ele era um carroceiro — Abraão ainda tentou sensibilizar o advogado. Inútil.

Essa é a lei, e Glauber deveria ter pagado a maldita contribuição previdenciária, assim como todos os arquitetos, médicos, advogados, dentistas e... carroceiros, segundo o INSS, fazem por serem autônomos. É a lei.

Aquilo era inconcebível para Abraão. O jovem semianalfabeto, que ajudava a mãe, que morreu trabalhando, e por conta da natural ignorância a respeito das regras, requisitos e condições, deixaria a mãe solo desamparada.

O juiz leu a minuta que Marcelo fez. Um contorcionismo jurídico, como eles gostam de falar. Argumentos inventados, argumentos estranhos, pulos e saltos, um duplo carpado, esforço intelectual e tudo para não deixar a senhora sem pensão.

O INSS recorreu e o tribunal derrubou a sentença. Abraão ficou sabendo. Não que ele acompanhasse os processos depois que sentenciava. Não, nem ligava. Mas esse em questão, ele se dava ao trabalho de espiar a tramitação sempre que podia. A princípio, se entristeceu com a derrota da senhora mãe de Glauber, apesar de saber desde sempre que sua estratégia jurídica não se sustentaria. Seria a primeira vez em que torceria para a vitória de umas das partes, numa explícita violação da imparcialidade. Eu, de cá, pela primeira vez não tive vontade de cortar uma cabeça pela violação da mesma regra. E olha que já vi milhões de juízes cheios de amiguinhos que se faziam de sonsos e diziam: *sou imparcial ainda assim*.

Mas com Abraão aconteceu o contrário. Ver a pobre senhora perder causou nele, e em mim igualmente, uma forte indignação. Foi a primeira vez que choramos juntos.

No aniversário de 54 anos de Abraão, um estopim para a revolução que se precipitava aconteceu na festa surpresa que os servidores organizaram juntamente com sua esposa e filha. Quando a diretora da secretaria enalteceu as qualidades de magistrado num discurso cheio de lágrimas e embargos vocais, Abraão percebeu que nele existia algo estranhamente escondido, e que ele mesmo não revelava a si: compaixão. Voltou para casa diferente, mudado e disposto a melhorar, a ver o mundo cruel e tentar mudar. Mas a energia veio e foi, deixando-o mais abatido ainda. Na manhã seguinte, olhou-se no espelho do banheiro e notou o efeito do tempo. Seus cabelos já estavam completamente grisalhos nas têmporas e logo toda a cabeça ficaria branca. Seus hábitos alimentares sempre comedidos o tornaram um homem magro, esguio. Passou a mão no rosto áspero, com a barba por fazer. Imaginou o tempo que levou para chegar ali, naquele banheiro, naquela forma humana. Procurou nos propósitos de vida novos motivos para continuar. Quais? A filha, a esposa, netos? Sim, a família. Mas já estavam todos seguros, sua ausência não lhes faria falta. Quis chorar; eu também. Conteve-se; eu não. Engoliu o nó e fez a barba. Dali a pouco estaria em sua toga, presidindo audiências.

— Onde está o dr. Abraão? — A analista que auxiliava nas audiências perguntou aos servidores do gabinete. Ele havia deixado a sala de audiência avisando que ia ao banheiro, mas se passaram mais de trinta minutos e nada de voltar.

— Já mandou uma mensagem para ele? — uma das assessoras perguntou.

— Não... — Diana respondeu corando.

Diana, a analista, evitou enviar mensagens porque não parecia que uma ida ao banheiro fosse tomar tanto tempo.

— É que ele disse que foi ao banheiro. E se por acaso ele estiver... — os assessores olharam para a porta que dava para o gabinete do juiz, com a placa dourada e preta: "Dr. Abraão Suleiman — Juiz Federal".

Então, uma mensagem chegou ao celular de Diana.

Diana, você tem colírio?

— Ele está pedindo colírio — sussurrou aos outros.

— Eu tenho — Pedro falou, logo procurando na mochila. — Leve lá, bata na porta.

Diana se aproximou lentamente da porta. Bateu com os nós dos dedos. Duas pancadinhas. Alguns segundos se passaram e a porta abriu pouquíssimos centímetros. Só a fresta para passar o frasco de colírio.

Abraão voltou para a sala de audiência com olhos claros, embora inchados. Tivera uma crise de choro no banheiro do gabinete, que se decorreu do seguinte fato:

Durante anos e anos, o juiz ouvira centenas de mulheres chorarem a sua frente. Mães e esposas que perderam filhos e maridos, e ali, na sala da audiência, sob o frio de um ar-condicionado a 18°C, sentadas de mãos cruzadas sobre a bolsa no regaço, elas choravam. Choravam enquanto contavam sobre suas vidas, suas dificuldades e vivências com os maridos mortos, os últimos momentos, ou as notícias da fatalidade. O pior sucedia com as mães de falecidos filhos, que se derramavam em prantos, encharcando rosto, corpo e a mesa de audiência, tal qual a senhora mãe de Glauber. Elas falavam das ajudas em vida que recebiam dos filhos, que eram tudo para elas, Marias cujas crias vinham e iam antes da hora, para, no fim, tudo o que lhes restasse se resumir em saudade, solidão e dificuldades financeiras.

Naquele dia, Abraão chorou também. Dona Maria, mais uma mulher a pedir pensão, molhava a cara escura e enrugada enquanto respondia às perguntas do procurador do INSS, um rapaz jovem e bem-intencionado na sua missão, mas com zero sensibilidade. E as indagações eram como punhaladas na memória de dona Maria, que as sentia no peito. Quando a senhora, já de idade, começou a falar sobre os dias finais de José da Silva, contando como ele, impossibilitado de andar, pedia desculpas à esposa pelo trabalho que dava, Abraão imaginou-se no lugar do enfermo. Imaginou-se ficando mais velho ainda, doente, de cadeira de rodas, acamado. Quem cuidaria dele? A esposa, certamente. E se ela fosse primeiro? Não suportou, começou a engulhar, nem falava nem chorava, aliás o choro parecia imobilizado por grilhões na sua garganta.

Quando conseguiu interromper as perguntas, correu para o banheiro, avisando Diana.

Com nervos à flor da derme, o simples ato de refletir sobre um pássaro a cantar na janela de seu apartamento, causava-lhe forte comoção. Pensava em quantos pássaros estavam perdendo seus ninhos em florestas desmatadas ou queimadas. Depois, lembrava da quantidade de aves que todos os dias eram abatidas para alimentação. Por fim, pensava que, pior ainda, eram as pessoas desabrigadas e passando fome, com crianças desnutridas, famigeradas, descalças, desnudas.

Na sua agonia e angústia, percebeu o quão pouco sabia sobre si, e se redescobrindo encontrou em sua trágica história um sem número de contradições, que o levava a mais questionamentos, a partir dos quais as estradas se formavam e não levavam a lugar nenhum. Começou a sentir enorme remorso e arrependimento pelas sentenças de improcedência que distribuiu. Até das que ele acertou, pois ele acertava em negar. Era a lei. Mas do outro lado, eram pessoas que vieram lhe pedir uma aposentadoria, e perderam, tanto por questões técnicas, falta de provas, ou até mesmo porque, segundo a lei, elas não tinham direito. Era a lei. Isso rasgou sua alma, o fez indagar-se: *como fui mal com essas pessoas? Eu vou morrer, e elas não vão poder me perdoar!*

Foi então que Abraão se convenceu de que era hora de procurar um tratamento psicológico.

CAPÍTULO II

José Molina era psiquiatra, professor titular numa universidade tradicional e somente consultava pacientes por indicação de colegas. Aceitou Abraão porque Samanta conhecia um psicólogo que conhecia o doutor Molina. Abraão marcou a consulta. No dia agendado, faltou sem justificativa. Achou que não havia mais necessidade. A filha não soube da desistência, a esposa também não. Ninguém soube. Mesmo assim, ele mesmo conseguiu remarcar, porque algo o fez pensar que o desaparecimento poderia ser considerado uma desfeita com o esforço de todos os envolvidos. Sorte ou não, a paciência do médico para atender um novo paciente foi suficiente para encaixar o juiz mais uma vez na agenda.

— Pode começar falando tudo que quiser — disse o psiquiatra, logo acendendo um cigarro, e ajeitando os óculos no rosto seco. Os cabelos de fios brancos, poucos e esparsos, aspecto cadavérico, à semelhança de uma múmia dos meus vizinhos egípcios. — Espero que não se importe — disse tragando e cerrando os dentes marfim escuros.

— Não, pode ficar à vontade. — Abraão relevou, já engolfado pelo resto de bruma expelida. Na verdade, retraiu-se ao ver-se no consultório do médico, um aposento escuro, com paredes cobertas de papel de parede velho e mofado. A mobília muito antiga, composta de estantes de madeira roída por cupins, entulhada de livros em completa desorganização, cheios de traças, poeira e pó que caía de minúsculos buracos.

— Eu... eu não sei por onde começar — continuou Abraão, passando os olhos em volta.

— Hum, entendo. A desorganização, a propósito, tente não reparar. Eu não costumo atender com frequência, e não há razão para ajeitar isso tudo — disse, compartilhando, por cima dos óculos, a mesma visão de Abraão. Depois sugeriu: — Se não sabe por onde começar, vamos falar de sua família.

Os dois estavam um de frente para o outro, bem acomodados em poltronas rústicas. Não havia divã, e Abraão não imaginou que a consulta se iniciasse daquela forma. Mas logo afastou a expectativa frustrada e começou a contar o que ia lembrando. Falou que era casado há quase trinta anos, que sempre se deu bem com a esposa, que da união nasceu Samanta, e que a relação com a filha era normal.

— O que é normal?

Nessa parte, ele se questionou bastante para tentar responder o que queria dizer com "normal". Gaguejou, foi para lá, para cá. Queria expressar que era semelhante a qualquer relação de pai e filha, e quando tentava expor como era essa "qualquer" relação, complicava-se mais ainda. E sabe de uma coisa, acho que *papá* teria a mesma reação se lhe perguntassem isso.

— Fale-me sobre Samanta.

— Como assim? — perguntou de sobressalto.

— Sobre a vida de sua filha. Qual a idade dela, se é casada, estuda, qual profissão, coisas assim.

— Ah, sim. Certo. Bem, ela se casou. Trabalha numa empresa de seleção de pessoas para vagas de emprego. É psicóloga. Tem 25 anos.
— Seu genro?
— Que tem ele?
— Vocês se dão bem?
— Acho que sim.
— Por que você "acha"?

Então Abraão começou a contar como Samanta conheceu Jair. Os dois eram jovens, e a relação de ambos envolveu muitos altos e baixos. Quanto mais falava, mais lembranças e recordações, a maioria ruim, enredavam-se na trama da sua memória. Lembrou que Jair certa vez bateu o carro do pai, e sua filha estava no veículo. Os dois discutiam antes do acidente, e o namorado, bêbado e em alta velocidade, lançava impropérios, vez ou outra tentando agredir a namorada, largando o volante e socando de lado. Numa das tentativas de atingir Samanta com o dorso da mão, Jair perdeu o controle e o veículo bateu num poste. Samanta confirmaria à mãe depois. Só tinha dezessete à época. Abraão contou que teve de ir à delegacia, e lá recebeu um tratamento diferenciado em razão do cargo. Isso, na ocasião, o envergonhou. Na verdade, não queria ir. Mas foi, e lá deixou que quase tudo fosse resolvido pela esposa. Conheço alguém exatamente assim. A delegada suspeitou das agressões, explicou ao juiz as implicações, os riscos de não se denunciar o fato. Ele conhecia a lei, ele sabia o que era o certo a fazer. Mas não fez. Pensou no constrangimento da família do rapaz, jovem de dezoito anos. A imprudência, era verdade, pusera muita gente em risco, sem contar com o grave abuso físico causado em uma menor. Mas para o juiz eram só dois jovens, adolescentes. O que esperar?

— Que deveria fazer? — perguntou com aflição ao psiquiatra. A resposta parecia se esconder em um vulcão de agonia a ponto de explodir.

Tempos depois, Abraão soube que a filha continuava sendo espancada, muitas vezes em locais públicos, cujas testemunhas denunciavam as agressões à mãe, Maria Duarte. Abraão até tentou convencer a filha de que era melhor acabar com o namoro. Mas Samanta não o ouviu, sempre disposta a defender o namorado, atribuindo os desvios ao álcool, assim como à relação conturbada de Jair com os próprios pais. O juiz se conformou à situação, achando que a filha logo mudaria de ideia, ou num dia próximo abriria os olhos. Por outro lado, passou a confiar também na mudança do genro. Era o melhor para todos, porque só assim nada precisaria ser feito e tudo ficaria bem, a vida seguiria, cada um com seus planos, e em paz. Promessas foram feitas, e o rapaz melhorava o ímpeto agressivo, passando tempos sem beber, confraternizando, distribuindo sorrisos e galanteios.

Mas não tardava para novas discussões surgirem, e com elas suspeitas de agressões emergiam, enquanto Abraão submergia, envergonhado, com medo, esperançoso de que aquela fosse a última. Mas não era. A filha estava apaixonada, amava o namorado, moveria mares e montanhas para "curá-lo", como dizia. Jair, por sua vez, mostrava-se cada vez mais frio, apático, indiferente. Esquecia datas especiais para o casal, ajustava compromissos para finais de semana, saía com amigos com mais frequência do que saía com Samanta. A filha sofria no regaço da mãe, inundando as saias de Maria Duarte com dor pelo desprezo do namorado.

Abraão tinha tanto para falar, sei que ele lembrava de mais coisas, mas ficava calado, mudo, preso em si mesmo. Ele, que presenciou cada momento do crescimento da filha, a tratava como uma estranha naquele assunto, por mais esforço que fizesse para agir de modo contrário. E, assim, adiava para o dia seguinte, a semana seguinte, confiando na esposa que, incansavelmente, tentava inculcar na cabeça da filha o melhor caminho a tomar.

Mas nada mudava, e então noivaram assim que Samanta se formou. Abraão não soube a razão de uma decisão logo quando o pensamento da filha deveria se voltar ao trabalho. Mas pensou que fosse algo novo surgindo. Abraçou a positividade, imaginando que aquele talvez fosse o remédio para a situação. Não moveu uma palha para impedir, mesmo nutrindo no fundo a ideia de que a decisão não passava de mais uma tentativa de Samanta para prender o namorado. "Papai, vamos nos casar", ela falou entusiasmada. Apesar de judeu, Abraão pouco se imiscuía nos assuntos da comunidade, e se não fosse em seu íntimo um ateu, sem dúvida não seguia as regras judaicas com afinco. Assim, o rito matrimonial da filha pendeu para o lado da esposa e dos pais de Jair, todos cristãos.

Na lua de mel, enquanto estavam nas praias de um lugar chamado Alagoas — aliás, águas muito parecidas com as daqui da Grécia —, Samanta quebrou o braço. A verdade incômoda nunca veio à tona e, pela enésima vez, Abraão se omitiu.

— Eu sinto muito, mas meus lenços acabaram — disse o dr. Molina. Abraão chorou tanto que seus olhos quase não abriam de tão inchados.

— Melhor pararmos por hoje.

— Sim, melhor.

Abraão saiu do consultório com a sensação de que todo o mal causado à filha pelo marido violento seria sua culpa, visto que, quando pôde, não fez nada. A ideia não era inédita, já estava guardada na sua bolsa de arrependimentos. Mas só ali, no ato final de aceitação da culpa, no confessionário de sua consciência, ele realmente se convenceu de que "*sim, eu poderia ter evitado*". Assim, ao invés de sentir alívio, foi tomado por uma forte inquietação, uma ansiedade causada por pensamentos de remorso agudos na alma, coisa que eu só via em juízes que subiam o cadafalso. Sentiu vontade de voltar no tempo, de, se possível, agredir Jair. Mas, agora, o máximo que fazia era agredir a si mesmo. Pensou em beber, embriagar-se e vomitar, aos cantos e becos, sendo lambido por cachorros de rua e na sarjeta. Afastou o quadro horrendo, repugnando a ideia, tamanha a vergonha que passaria depois.

Abraão passou a dormir mal, remoendo a fantasia de salvar a filha das garras do genro. Um dia, chegou ao fórum tão pálido e com olheiras tão escuras que depois de se encapuzar com a toga preta qualquer um o confundiria com o conde Drácula.

E foi num dia desses, de sombrias angústias, que aconteceu um fato inusitado.

— Doutor, é sobre a próxima audiência. O advogado da autora, chamada Maria de Fátima, não chegou e ela não consegue falar com ele.

Era comum acontecer. Senhoras desprovidas de uma advogada ou advogado que a própria lei exigia que todos tivessem, mas nem todos tinham.

— E a doutora Rafaela? — Abraão perguntou.

Em momentos de apuro, sempre se socorria da doutora Rafaela, que participava com muito empenho como advogada voluntária para casos assim.

— A doutora está de licença. Ganhou bebê. Podemos remarcar para outro dia e procurar outro?

Abraão pensou.

— Não... chame a senhora Maria de Fátima — respondeu Abraão, pensando noutra coisa. O nome "Maria de Fátima" o fez imaginar que a autora seria uma senhora, e isso espancou as hipóteses de um difícil caso para acordo. Além do mais, as testemunhas falariam por si, fornecendo detalhes, em face de perguntas cujas óbvias respostas garantiriam a pensão, sem prejuízo para dona Maria. Por isso Abraão abriu a concessão.

Mas quando Maria de Fátima entrou, não era uma senhora, e sim uma jovem. Abraão tomou um susto.

Abriu o processo e viu que a moça tinha apenas 26 anos. Estava com uma criança de colo, amamentando. Ele não pôde evitar um pouco do constrangimento, mesmo com a moça colocando uma fralda sobre a filha, que sugava seu seio fazendo um barulho plenamente distinguível.

Abraão limpou a garganta.

— A senhora pode... é... dar de mamar lá fora, se não...

— Não, doutor, obrigada. Pode começar, já estou esperando tem quase três horas.

— Três horas?

— Sim, cheguei pela manhã e estava tudo fechado. Só depois me disseram que aqui funcionava apenas à tarde.

Mais uma surpresa para Abraão, pois o tempo de espera, tanto mais para alguém com criança de colo, pesava contra o adiamento da audiência. A situação ficou delicada, e a expectativa do juiz se voltou para as testemunhas.

— Ah, bem. A senhora trouxe testemunhas?

— Só Deus — respondeu apontando para o céu. Depois olhou para a cara de Abraão. Ficou inquieta, tentando se recordar de algo, um traço, uma semelhança nas feições do juiz. Daí cerrou os olhos como a espremer a memória, e, num pulo, quase gritou:

— Ah, lembrei. Conheço você, quer dizer, sua excelência, desculpe.

Abraão pigarreou novamente, olhou para o procurador do INSS, entretido com o celular. Depois se arrependeu de pigarrear, temeu passar a impressão de que não gostou do "você". Não dava a mínima para isso. Um dia deu, mas agora não mais. Uma forte onda trazendo detritos de sensações inundou sua ilha de autoridade, deixando-o envergonhado, apreensivo, desajeitado. Sem advogada, advogado, sem testemunhas, mãe de um bebê, e agora? E ele não fazia ideia de quem era a moça. Mesmo assim se empertigou. Poderiam pensar imoralidades, Maria de Fátima tinha a idade de sua filha, e acima de tudo era dona de uma natural beleza, apesar da oxidação causada pelo ofício de mãe de bebê. Cabelos desgrenhados, rosto pálido, chupado, portadora de olhos claros e cercados por bolsas e olheiras negras. E mesmo assim era muito bonita.

— Acho que a senhora está me confundindo com alguém — disse quase arfando sem ar.

— Não, não. O senhor é o pai da Samanta. Aliás, sua excelência...

— Vossa... — Abraão soltou, mas tão rápido quanto inconsciente. Ouvir o nome da filha foi a gota d'água do tormento. Então ele mesmo se emendou:

— Desculpa... Eu... — esqueceu-se do que falar. Deu um branco. Ia explicar que o pronome correto é "vossa", não "sua", mas não convinha tais esclarecimentos. Seria pedante. Melhor deixar como estava, ou não? E se a imagem de arrogância fosse a imagem mais forte? Com certeza seria. É o estereótipo, ninguém escapa do estereótipo, é mais fácil escapar da minha espada que do estereótipo. Estava feito. Um silêncio ganhou a sala. Era comum em momentos de constrangimento. O juiz esqueceu-se do que falar, emudeceu e todos se calaram com ele, esperando, compartilhando a falta da autoridade na sala da justiça.

Aquele começo virou uma bagunça. Parecia que algo de errado acabava de ser mencionado, ou estava acontecendo aos olhos de todos. Depois Abraão respondeu que sim, que era o pai de Samanta. Mas só foi até aí. Mesmo assim não se lembrava da relação entre Maria de Fátima e a filha. Para não ultrapassar as raias das conversas paralelas, ele logo começou a perguntar, iniciando o depoimento pessoal da menina.

Maria de Fátima começou a dizer que era companheira de Rute, uma senhora que faleceu de covid. A filha em seu colo era proveniente de uma relação fugaz com um jovem que ela não sabia quem era, mas que conhecera num show de algum cantor sertanejo. Entretanto, Rute, a quem Maria de Fátima chamava de Rutinha, era sua empregadora, aposentada e sem filhos, netos ou quaisquer parentes próximos. As duas começaram uma relação amorosa logo quando a gravidez foi descoberta, e passaram a conviver, inclusive com uma escritura pública para comprovar a união estável. Rute faleceu pouco depois, e o INSS negou a pensão à Maria de Fátima, sob a justificativa de que não havia comprovado a dependência econômica. Lá vamos nós de novo: para pensões entre pessoas que afirmavam que viviam em união estável, o INSS exigia uma prova de dependência econômica. Tenho quase certeza de que Hades é o CEO desse troço de

INSS. Bom, Maria de Fátima não conseguiu provar que recebia ajuda financeira de Rute.

— Você... aliás, a senhora gostava dela? — Abraão nunca fazia perguntas desse tipo, mas neste instante dei um ajudinha e sua língua soltou-se rebelde.

— Claro, comecei cuidando da Rutinha há cinco anos. Foi quando me vi só, grávida, esperando que a empresa me dispensasse e eu saísse da casa dela. Ela me acolheu, disse que não me deixaria ir, que sempre gostou de mim desde a primeira vez que me viu.

Maria de Fátima parou. Visivelmente emocionada, mas mantendo firme o controle. No pequeno intervalo, o procurador do INSS, livre de qualquer amarra, atravessou:

— Ela poderia ter adotado você, era melhor.

Fez-se novo silêncio. Maria de Fátima não respondeu. Um nó impedia que palavras, que só com o coração se fala, saíssem pela garganta. Lembrou-se de Rutinha, e como aquela senhora de idade, esbelta, alta e bela, e que falava bastante em Cristo, reprimiu, por uma vida inteira, um desejo por carinho verdadeiro, vindo de quem quer que fosse, e melhor ainda se de alguém doce, meiga e jovem. Rute, que casara muito nova e só por conveniência social, porque odiava homens com a força da vida, achou em Maria de Fátima um conforto tardio, crendo piamente que sua beata existência já lhe havia sobejado créditos de perdões suficientes para deitar e amar a quem quisesse.

Abraão então recordou: Maria de Fátima foi uma amiga de Samanta, que ainda no ginásio escolar fora "convidada" a sair da escola por ter se envolvido com uma das meninas do grupinho da filha. Imagens de duas jovens se beijando circularam, e os pais da outra menina exerceram pressão para que o colégio tomasse medidas efetivas. Boatos se misturaram aos fatos, chegando-se a dizer que professores da rede privada também eram lenientes com a ideologia de gênero, e que se aquela escola particular não poderia proteger filhos nascidos em famílias cristãs, então o melhor seria procurar outra que o fizesse. A repercussão do caso foi tamanha que Maria de Fátima sumiu da cidade.

Abraão lembrou-se até em detalhes a discussão que teve com Samanta, na defesa da liberdade da escola de escolher o aluno que quisesse. E, mais uma vez, a memória lhe veio como uma punhalada na consciência, mesmo depois de tanto tempo, porque a filha era uma das maiores defensoras da amiga, exigindo do pai uma posição contrária à da maioria . Abraão recordou igualmente que Samanta viveu um luto inexplicável, não só pela perda da amiga de sala, mas pela ida de Maria de Fátima para um lugar incerto e não sabido.

— Dr. Carlos, tem acordo?

— Não, dr. Abraão, infelizmente não.

O juiz sabia que se julgasse o processo procedente, o tribunal iria derrubar a sentença. Só um acordo poderia salvar a situação de Maria de Fátima. Se eu for explicar o porquê vai demorar, então entenda assim.

— Mas dr. Carlos, é tão pouco tempo, são só quatro meses de pensão.

Com efeito, a união estável e o casamento, depois de 2015, passaram a garantir pensões provisórias a depender da quantidade de tempo do casamento, e/ou a idade da pensionista, entre outros requisitos que não vêm ao caso. Copiei esse parágrafo de um livro de Direito. Maria de Fátima só teria direito, segundo a lei, a quatro meses de pensão.

— Infelizmente, não — respondeu o procurador do INSS, recusando de vez o acordo.

— Diana, por favor, pausa a filmagem, vou tomar um café — Abraão se levantou e saiu pelos fundos da sala de audiência. Depois mandou uma mensagem para Diana.

Avise ao dr. Carlos para dar um pulinho na copa.

— Dr., tome um cafezinho aqui comigo.

— Obrigado, dr. Abraão.

— Então, está gostando da região?

— Sim, é bem legal o clima.

— Que bom! Doutor, veja só — Abraão entrou no assunto que queria —, eu estou com um problema com o CNJ.

Ora ora, o "cenijota", como muitos deles se referiam, era um Minotauro devorador de juízes sanguinolentos. Brincadeira. Bem que queria que fosse, mas minha criatividade é incomparável. Era só um órgão que controlava juízes, salvo os juízes do Olimpo deles, o todo-poderoso STF. Quando muito, o CNJ aposentava um ou outro mais ousado.

— O CNJ está apertando bastante, estamos com muitos processos para sentenciar — Abraão continuou.

— Sabe, é muito difícil dar conta de tudo. Eu sei que o senhor está fazendo seu trabalho, mas esse caso aí da menina... Não teria como a gente fechar o acordo? Ela está precisando, com criança no colo.

— Mas o INSS não tem nada a ver com o filho dela.

— Filha, é uma menina.

— Sim, menina. Como o senhor sabe?

— Vi pelas cores do enxoval — Abraão respondeu e voltou ao principal. — Mas, dr. Carlos, não é só por ela, é por mim, pelas metas que tenho que cumprir. Tem uma, inclusive, que é meta de uma quantidade mínima de acordos. Veja aí.

Não é que o safadinho estava sendo sincero? O CNJ criava metas, e uma delas era que juízes e juízas tinham de viabilizar uma quantidade mínima de acordos por ano.

— Dr. Abraão, se for para o senhor, está resolvido.

Abraão sorriu abertamente, e ambos trocaram tapinhas nos ombros. Na volta, ainda pelo corredor, o procurador do INSS falou:

— Doutor, eu tenho um processo, um precatório do meu pai, que faleceu sabe.

— Eu sinto muito.

— Pois é, mas já passou o luto. A questão é que somos só alguns irmãos, e eu pensei se não era melhor, ao invés de mandar o precatório para um inventário, na justiça estadual, o senhor sabe como é a justiça estadual, eu estava pensando, poderíamos receber por habilitação aqui, direto no processo do precatório.

Esse precatório, por coincidência, está com o senhor, eu até ia falar depois das audiências.

Abraão ouviu atentamente. O caso poderia ser simples. Pequenas quantias em saldos bancários, por exemplo, não precisavam de inventário para herdeiros sacarem. Era um procedimento comum. Mas outros valores, e dependendo da quantidade, o correto era sempre enviar para a justiça estadual.

— Qual o valor, dr. Carlos?

— Bem, eram expurgos e outros passivos, meu pai era servidor público antigo sabe, o valor não sei ao certo, mas se não me engano deve ser uns dois milhões.

Abraão esfriou. O valor era muito alto, o que poderia tornar indispensável o tal de inventário da justiça estadual, coisa complicadíssima se os herdeiros fossem brigões como eu e meus irmãos, irmãs e primos etc. Metido numa encruzilhada, teria que dar a resposta ali. Era um "sim" ou "não". Um "talvez", ou "vou analisar" poderia deixar Maria de Fátima sem o acordo.

Estremeceu com o fato de que daria passos em falsos, tergiversando com corrupções da alma, do coração, das intenções, ruins ou boas, donde o Hades está cheio. O juiz se indagou: o que devo fazer para ser um juiz melhor? Abraão sabia o que era o certo e o que era o errado do ponto de vista da Lei. A Lei, essa palavra cuja primeira letra, quando maiúscula, desafia aquela outra palavra também de inicial garrafal. Monoteístas não usam "d" minúsculo.

Deus, o que faço?, deu tempo de se perguntar. Maria de Fátima tinha direito a pensão, e sua sentença seria o meio adequado e correto de se chegar à justiça. Mas ele não confiava na justiça dos outros, de outros juízes que julgariam o recurso, caso o INSS recorresse, porque a menina, a moça, não tinha as provas que os outros diziam que a lei exigia. Antes de entrarem na sala, Abraão falou:

— Sem problemas, dr. Carlos. A gente resolve o precatório por aqui mesmo.

CAPÍTULO III

A senhora Duarte cultivava hábitos caseiros, visitava pouco os parentes, e somente a casa da mãe era caminho certo de toda semana. Com sessenta anos, ou seja, seis a mais que Abraão, servidora de carreira do Estado, Maria Duarte criou a filha, e cuidou da pequena família com a rica experiência adquirida após os quarenta. Ao contrário do marido, nutria um forte sentimento religioso, pautado na obra de Jesus na Terra, como ela mesma dizia. Na sua adolescência, seus pais, principalmente o pai (que quase entrou para o seminário quando jovem), eram muito mais rígidos, e seguiam piamente o código de ética e moral moldado aos valores cristãos do ocidente. Eles tem um único Deus, mas milhares de santos.

Acontece que Maria Duarte sabia que havia problemas no paraíso, e não negava a falência dessas instituições, do mundo arruinado, como ela mesma achava que estava. Ou seriam as pessoas as causadoras de tanto mal? Certamente. Livre-arbítrio, justificava-se. No entanto, foram as paixões adolescentes que quase sufocaram a castidade de Maria Duarte até o último dia antes do casamento com Abraão, e ela conhecia de perto esse tipo de amor, semeado pela volúpia cauterizadora da carne. Sofreu horrores para manter a virtude e a pureza, à semelhança da Virgem Maria, como ela dizia. Viu como, na sua mocidade, quão penoso era lutar contra o corpo, amordaçando as ideias, e colocando o desejo em camisas de força. Então, já rica de sabedoria pela prata dos fios de cabelos, deixou a filha, por dezenas e dezenas de vezes, tomar suas próprias decisões, quanto à crença, ao corpo, a quase tudo. Impedir, reprimir ou oprimir Samanta seria pior. Virtuosidade, passaria a pensar, é a arte de escolher sem ter que se arrepender depois. Tornou-se quase cúmplice, e quando queria compartilhar com outro o peso da leniência, lembrava do Papa Francisco dizendo: "os pecados da carne não são os mais graves". "Quais são então?", perguntaram, e o Santo Padre respondeu: "ódio e orgulho". Ora, se dessa forma o Sumo Pontífice pensava, quem seria ela para ir além? E assim, ao tomar pé do namorico da filha e Jair, esperou com ansiedade o dia que nunca chegava, mas que Samanta lhe confessaria: "Perdi a virgindade". Esse dia, entretanto, chegou quando a filha apareceu com um sangramento anormal, que absorvente nenhum segurava. Semanas se passaram, a mãe decidiu que não poderia se omitir mais, e então enveredou nas inquisições. Samanta disse que há muito fazia sexo com Jair e que engravidara, mas que o namorado comprou remédios que, uma vez ingeridos, causaram o aborto do neto de Maria Duarte. A cumplicidade estava indo, aliás, fora longe demais, e, para além de sentir um profundo desgosto com a atitude da filha, pediu que Samanta jurasse jamais fazer isso novamente. Custasse o que custasse, a benção divina de ter um filho não poderia jamais entrar em questão.

— Hoje presidi uma audiência com uma moça que conhece a Samanta. Talvez a mesma daquele episódio do banheiro do colégio Sacramento.

— Hum, lembro. E...?

— Ela queria uma pensão.

— Você concedeu? — Maria Duarte cortou um pedaço de bife e não deixou de reparar a hesitação do marido na resposta.

— Não, fizeram um acordo. É melhor. Só assim não há chance de o tribunal reformar.

— Você vive falando do tribunal. Antes, eu não o via comentar tanto sobre o tribunal desfazer suas sentenças. E agora é como se importasse mais.

— Deve ser impressão sua...

— Falando em Samanta, ela está subindo, acabou de me enviar uma mensagem.

Poucos minutos separaram a mensagem de Samanta da campainha tocando. Maria Duarte foi atender e Abraão ficou refletindo. Já passava das 20h, e não eram comuns visitas à noite, ainda mais sem prévio aviso.

— Deus, minha filha, o que aconteceu? — Maria Duarte exclamou do corredor. Abraão parou de mastigar. Samanta implodiu apartamento adentro, aos prantos, com a blusa branca lavada de sangue. Além da chave do carro, não carregava nada, nem mesmo a bolsa. Passou direto pela mãe e correu para um dos quartos. Abraão se levantou assustado. Maria Duarte não viu todo o rosto da filha, que estava meio coberto com uma toalha também ensanguentada. Pai e mãe seguiram-na ao quarto, sem perguntar nada. Eles sabiam. Samanta jogou-se numa das camas de um quarto de visita, encolheu-se e só não chorava mais alto porque o nariz lhe doía demais. Os dois chegaram à soleira, e viram o corpo convulsivo, soluçando com espasmos a cada revezamento de inspiração e expiração.

— Ele quebrou meu nariz, mãe. Quebrou. Está torto, mãe.

— Meu Deus, minha filha — Maria Duarte foi acudir.

Abraão se desmanchou. Começou a chorar. Primeiro, só com lágrimas descendo em sequência. Afastou-se do limiar da porta, encostou-se na parede oposta, e deixou o corpo cair sentado no chão. Daí explodiu num pranto tão alto quanto o da filha. Uivava feito um lobo ferido. "Me perdoe, me perdoe", gritava. Era como se ele quem tivesse quebrado o nariz da filha, e ao mesmo tempo sentisse a dor acusada pela fratura do osso. "Eu quebrei o nariz dela", dizia a si enquanto tentava esconder a cabeça entre os joelhos, prostrado no corredor. O choro era tão alto, mas tão alto, que até Samanta se assustou, abrindo os olhos, tirando o pano do rosto, e procurando pelo pai.

— Mãe? O que o pap...

— Ele está doente, filha.

Samanta não conseguia fechar a boca. As fossas nasais entupidas de sangue coagulado impediam a respiração. As lágrimas já não desciam, restando apenas o rosto inchado, violáceo na base do nariz torto, vermelho em volta dos olhos.

Maria Duarte, mesmo acocorada ao pé da cama, dividia a atenção entre a filha machucada e o marido desvalido, corroído pelo remorso.

Vou matá-lo!, Abraão imaginou ser a única forma de acabar com o próprio sofrimento. Seria preso, condenado. No júri, confessaria para o conselho de sentença: "matei e mataria de novo", diria. Não contrataria advogado, não recorreria da sentença, e iria para o presídio cumprir pena. Na cabeça dele, pensamentos e imagens se formavam, com Jair sendo alvejado à queima-roupa, na covardia, porque covardes não merecem outra coisa senão o mesmo veneno. Depois, iria direto à delegacia, entregar-se. Mas pelo menos sua filha não passaria por isso novamente. Todas essas ideias o fizeram parar de chorar. Eram como analgésicos, crime e castigo, redenção e sofrimento, ele precisava experimentar, e aceitar já acalmava a tormenta.

— Vou matá-lo! — disse e se levantou.

Falou baixo, mas o suficiente para a filha e a esposa ouvirem.

— Abraão?! — Maria Duarte o seguiu até o quarto do casal. Lá viu Abraão pegando uma caixa no maleiro do guarda-roupa. A poeira da caixa deixou uma marca no ar. Era a arma que ele comprou há vinte anos, e estava ali desde então.

— Você não está pensando nisso, Abraão.

— Vou matá-lo! — disse abrindo a caixa.

— Não é você quem está falando, sabe disso.

— Vou matá-lo... — falou olhando para o calibre .38 no interior de veludo da valise. O revólver e oito munições, cada uma num espaço em baixo-relevo a permanecer encaixado. Tirou uma munição e instantaneamente lembrou que aquilo parecia com um batom numa maleta de maquiagem, igual às que dava a filha quando era só uma menina. *Parece um batom, e ela passava em mim, me maquiava e eu deixava.* A memória trouxe novas lágrimas. Só as lágrimas. *Melhor eu morrer*, passou pela cabeça. Sacar, engatilhar e disparar na têmpora. Cabeças não rolam, mas a dele explodiria. Então sentiu um toque leve no ombro. Era Maria Duarte, sua esposa. Virou-se e olhou para a mulher que amava. Atrás dela estava a filha, na soleira.

— Abraão, há melhores formas de resolver.
— Há?
— Claro. Deus está lhe dando uma nova chance de consertar. Não a desperdice.

Deus?, pensou, e eu pensei, eu quem estou dando uma nova chance, porque há dois mil e quinhentos anos, por razões parecidas, abri ao meio alguns magistrados.

Abraão concordou sem o menor fio de dúvida. Então se agarrou à Maria Duarte, trinta centímetros mais baixa que ele, e lavou o ombro da mulher com suas lágrimas.

No hospital, ele conversava com Samanta. O diálogo era quase monossilábico. Muitas coisas para falar, de ambos os lados, pouca coragem. A filha ainda se perguntava a razão daquela reação do pai. Sabia que ele estava se consultando com um famoso psiquiatra, mas não fazia ideia de quão grave parecia ser o estado de nervos.

— Mamãe disse que o senhor encontrou com a Fafá — falou com a voz nasalada pelos curativos.

— Sim, foi — ele enfim disse algo desde que chegaram ao hospital. Samanta, já atendida e medicada, esperava os resultados dos exames de imagem.

— Está doendo? — perguntou depois de um longo silêncio entre os dois, sentados, lado a lado nas cadeiras de plástico do *hall* da área de emergência.

— Não. Passou...

Então, Samanta cogitou se o momento seria propício para perguntar sobre o estado do pai. Olhou para a mãe, ao longe, conversando com a assistente social. Já era quase meia-noite e dali iriam à delegacia da mulher. Estava decidido.

— O senhor está melhor?

— Sim, estou. Obrigado por perguntar — completou agradecendo, como se a filha fosse uma estranha. Na verdade, faltaram-lhe palavras melhores para retribuir a atenção.

— Eu lembro da Fafá. Expulsaram do colégio porque ela queria namorar com a Jéssica. Eu lembro.

— Ah, foi. E se fosse com...

Abraão parou. Estancou. Iria fazer uma pergunta que imaginou fazer sentido quando a ideia lhe assaltou, mas daí até palavra e frase se formarem na garganta, deu tempo para ele se convencer de que Samanta poderia achar aquilo uma loucura.

— E o que?

— Nada, eu ia dizer que ela ganhou o processo. Só isso.

— Nossa, que bom. Ela merece. Eu gostava dela. Era minha melhor amiga. Assim, só amiga, sabe — Samanta começou a rir, tentando deixar claro, mas ao mesmo tempo tornar irreverente a hipótese de que fossem mais que amigas.

— Não veria problema — Abraão falou aparentemente desatento.

— O que? — Samanta arregalou os olhos, não sem antes mostrar incredulidade com o que acabava de ouvir. Logo seu pai, aquele que tanto achava ser contrário a práticas que violavam os "bons costumes". A surpresa da filha não ficou só na expressão, queria saber mais; aliás, nem acreditava no que Abraão estava sugerindo.

— Não veria problema que aquela confusão fosse comigo, ou nós poderíamos ser mais que amigas?

Não deu tempo Abraão responder, Maria Duarte voltava com folhas, papéis e outros formulários do próprio atendimento médico.

— Está fraturado, mas não é grave, vamos resolver isso ainda essa semana.

Samanta perdeu o entusiasmo que estava tendo com a nova conversa com o pai. Lembrar do dano físico lhe gerou imediato dano emocional, um ricochete da agressão que lhe perseguiria dali a muito. Abraão também notou, qualquer um notaria. Ele também afastou o assunto e se prepararam para, outra vez, irem à delegacia.

Quando Abraão, a esposa e filha voltaram ao apartamento, já era madrugada. Dessa vez, todo o procedimento para casos de violência doméstica foi cumprido. Mais uma vez, a qualidade de seu cargo foi preponderante para um atendimento diligente. A vergonha desse pretenso privilégio pareceu causar-lhe mais incômodo. Havia uma mistura de medo e apreensão, uma ansiedade para que não fosse visto por algum conhecido, ou a imprensa, embora dessa vez a preocupação não fosse com Jair e sua família, mas com a própria filha, que seria indubitavelmente vinculada à manchete "filha de juiz tem nariz quebrado por marido". Nada disso aconteceu, e ele agradeceu a Deus por isso.

E foi nesse pequeno momento de reflexão e agradecimento, que se deu conta de que repetia a palavra "Deus" em suas hosanas e louvores, mesmo sem acreditar nEle. Às vezes, achava que não acreditava, mas a verdade é que tinha dúvidas sobre isso. Não fazia orações há muito tempo, não ia mais à igreja, ou à sinagoga que parentes frequentavam, e não lia nada a respeito.

Incrivelmente, ali, no escuro do quarto, Abraão esboçou uma prece, uma oração, começando com:

"Ouvi, Ó Israel, o Senhor nosso Deus, o Senhor é Um..."

Mal Abraão começou a oração, e seu cansaço misturado ao alívio lhe jogaram em um sono profundo.

— Dr. Abraão, já sabemos quem é o novo juiz substituto — disse o diretor Fernando.

— Ah, que bom. E quem é?

— Um rapaz chamado Kleiton. Foi o que passou em primeiro lugar.

Abraão parou e pensou, refletiu. Poderia ser bom ou não. Ele nunca teve problemas com juízes substitutos. No entanto, a história era cheia de eventos de brigas e disputas que iam quase às vias de fato quando o juiz titular e o substituto não se davam bem.

E qual a diferença entre substituto e titular? Bom, se você sabe, pule o próximo parágrafo, se não, é só seguir lendo essa coisa chata de organização judiciária.

Cada vara tinha um dito juiz federal titular, e outro chamado juiz federal substituto. O primeiro era o responsável pela escolha de uma série de coisas, sendo a mais importante a escolha do diretor, porque esse consistia nos braços e pernas do juiz. Já o substituto tinha as funções administrativas um pouco reduzidas. Quanto à competência, ou seja, quanto à importância do que cada um julga, não havia diferença alguma. Cada um poderia julgar ações de iguais complexidades. Outro detalhe era que, na teoria, não havia hierarquia entre eles, embora a prática, como se sabe, nem sempre repita a teoria.

— E ele está aqui, veio visitar as instalações do gabinete — Fernando acrescentou.

— Mas já? Eu vou dar as boas-vindas — Abraão se levantou e saiu. A sala do juiz substituto ficava no final do corredor. Ao passar pela sala dos assessores, Abraão deu "boa-tarde" aos servidores, e não deixou de reparar no ar pesado, tenso, membros (braços e mãos) rígidos sobre os teclados, caras fechadas, principalmente de Patrícia e Amanda.

A porta do gabinete do juiz substituto estava entreaberta. Abraão espreitou alguma movimentação, não sabia se ele ainda estaria lá. Foi quando viu o vulto, e ao se aproximar da brecha de um palmo, inspecionou o jovem de costas, passando o dedo indicador sobre a estante, e em seguida conferindo, possivelmente, a poeira que se juntara.

— Boa tarde, Kleiton — Abraão entrou pigarreando e dando duas batidinhas na porta.

O rapaz se virou num giro ágil. Vestia um terno azul de linho fino, e muito bem alinhado. A gravata e seu nó largo fechava o colarinho da blusa branca.

— Boa tarde... o senhor é? — perguntou, limpando o dedo com um lenço umedecido.

— É... eu sou Abraão, o juiz...

— Ah, sim, sei. Não o conhecia por aparência. Perdão pela indelicadeza, é que certos detalhes que vi por aqui me tiraram o bom espírito. É uma enorme satisfação conhecê-lo pessoalmente — Kleiton veio até Abraão para um aperto de mão.

— Para mim, também.

Abraão não sabia o que dizer. Pareceu não ter entendido de primeira, mas deduziu que o juiz substituto estivesse reclamando de algo que encontrou ali, talvez a sujeira. É claro, a sala estava fechada há um bom tempo. O jovem, logo após apertar a mão de Abraão, correu para seu local de assento.

— Ora, terei que trazer minha Herman Miller para cá. É o jeito. Bem, sente-se, doutor Abraão — o substituto convidou o titular para se sentar numa das cadeiras de visitas, e sem qualquer constrangimento, sacou um vidro de álcool em gel, e despejou nas mãos. Abraão sentou-se, curioso em saber onde o jovem queria chegar. A princípio, extasiou-se com a desenvoltura, e a forma como ele encarava e controlava a situação.

— Bem, doutor Abraão...

— Abraão, só Abraão, somos colegas.

— Ah, doutor — Kleiton enfatizou a última palavra. — Realmente somos colegas, mas acredito que a formalidade é indispensável até mesmo entre nós. Temos que dar exemplo, e um dos pontos que anotei aqui e que pretendo deixar claro ao pessoal da vara é que devem, todos eles, nos chamar por "excelência".

— O que? Isso não existe, eles não são partes no processo.

— Infelizmente, para o costume, doutor — grifando mais uma vez —, eles devem me chamar assim. Aliás, não o convidei para se sentar na intenção de discutir esse ponto, já está decidido, o doutor sabe que é uma prerrogativa minha, não há hierarquia entre nós.

Abraão então não ouvia, ou dava atenção a mais nada. A boca rosa do juiz substituto movia-se a sua frente, mas o som era como um ruído estranho e longe. O rosto branco e pálido, desprovido de doses de raio solar, o cabelo preto e com gel, ao melhor estilo italiano, os olhos negros, cintilantes e interrogativos, todo o conjunto daquele jovem rapaz de 23 anos dizia a Abraão que uma tempestade se formava a sua frente.

CAPÍTULO IV

Quatro meses se passaram desde que o juiz substituto chegara. E nesse pouco espaço de tempo, Patrícia pediu para deixar a assessoria.

— Eu não aguento mais, dr. Abraão. Ele devolveu quatro vezes a mesma minuta. Em cada uma encontrou defeitos de todos os tipos. Até entendo, mas a quantidade de trabalho é demais. Além disso, não consigo diagramar laudas como ele deseja; ao que parece, teremos que mudar os modelos, centenas deles.

— Eu achava que ele não ia fazer tantas modificações.

— Mas fez. E Amanda também deseja sair do gabinete e voltar pra secretaria.

Abraão era um juiz com 25 anos de carreira, e fazia muito tempo desde que fora aprovado no concurso. E como ele é um mortal, diferente de outros colegas que pensam que são deuses, assume abertamente que já não sabe muito sobre Direito. Era mais que esperado que isso acontecesse. Eu esperava e ainda espero. E, se você me permite... quer dizer, você *vai* me permitir, sou uma deusa, ora bolas. Bom, sempre conto que quando eu era ainda estagiária de meu paizinho, ele me deixou incendiar um magistrado porque este havia esquecido de aplicar no caso uma lei entre as mais de quatro mil que existiam à época.

Então existem varas especializadas, para dividirem a lei e o direito em milhões de pedaços, e cada juiz ter só uma parte dessas tirinhas para lembrar quando for julgar. Reduz o trabalho e o risco do esquecimento. Um magistrado especialista é tão conhecedor de detalhes jurídicos quanto advogados especialistas, que são mestres, doutores, livre-docentes e titulares de universidades. Mesmo assim, algumas varas acumulam muitos desses pedaços, e a vara onde Abraão atuava era o que se chamava por "vara única", com todo tipo de causa da justiça federal. Para lá iam quase todos os assuntos, e por isso ele deixou que Kleiton, primeiro lugar do concurso e todo sabichão, fizesse alterações nas minutas, modelos de sentenças e decisões de casos parecidos.

Por outro lado, à época de Abraão os processos já se repetiam muito, e raramente era preciso escrever uma sentença do zero. Então pegava-se o tal modelo, mudava-se os nomes das partes, detalhes do caso, como a data do falecimento de alguém, e a minuta se tornava a sentença, que, por sua vez, era assinada depois de conferida. Mas para Kleiton sabichão, todos os modelos estavam ultrapassados, desatualizados, com erros de legislação, erros de jurisprudência. A prudência dos tribunais! Os senhores homens brancos — algumas pouquíssimas mulheres — discutiam horas e horas se aplicavam essa ou aquela lei, ou se essa ou aquela lei queria dizer isso ou aquilo. Depois batiam o martelo, e criavam os chamados "precedentes". Pau que dá em Chico... isso, você sabe o resto.

— Para tudo ele diz que há um precedente, está mudando coisas que já julgamos inúmeras vezes. Vai parecer que o senhor mudou de ideia quando julgar um caso novo — disse Patrícia.

— Como o que, por exemplo?

— Ele disse que se a casa de uma pessoa tiver um piso de cerâmica, não podemos fazer a minuta concedendo o benefício assistencial, porque gente pobre mora em casa de chão de barro, ou na rua. Chegou a dizer que já viu um precedente em que a casa teria que ser de pau a pique, com teto de palha. Falou que quer mudar, vai conversar com o senhor. Disse também que vai acelerar a vara, porque o processo acaba logo. "Menos processos, Patrícia".

— Dar benefício só a quem mora em casa de taipa?

— Sim, doutor!

Abraão baixou a cabeça em apreensão. A mudança proposta por Kleiton sabichão batia de frente com a forma de ver um dos casos mais emblemáticos a transitar pela vara.

Pessoas pobres tinham direito a um benefício assistencial, conhecido pela sigla BPC — benefício de prestação continuada. Não canso de dizer que existem nas leis mais siglas que estrelas no céu. E você deve lembrar que todo trabalhador de alguma forma pagava ao INSS para receber benefícios quando precisasse. Bom, existia um que não exigia pagamento de nada. Era o dito assistencial, chamado BPC. Com ele, a pessoa que fosse idosa ou deficiente, e pobre, recebia um salário-mínimo, sem nunca ter pagado nada ao INSS.

E qual o problema? Durante anos a lei murmurava que pobre era aquele que fazia parte de um grupo familiar com renda de 1/4 de salário-mínimo por cabeça. Matemática pura: somava-se a renda de todos que moravam na casa: salário da mamãe, do papai, do filho, cachorro, papagaio, e dividia-se o valor da soma pelo número de integrantes da casa, com exceção dos animais. Se o resultado fosse até 1/4 de um salário--mínimo, tinha direito.

Acontece que, em algum lugar, algum juiz levantou o argumento de que morar numa casa com piso de cerâmica era uma prova de que o sujeito não era objeto pobre "conforme a lei". Sabe dar esmolas a alguém que você entende que deve receber por ser pobre, e então a sandália, ou a roupa, ou até mesmo a forma como o mendigo pede deixa você com pé atrás? Isso, juiz – alguns – é assim também. Daí, muitas e muitas vezes, a decisão sobre se a pessoa teria ou não direito, girava em torno do hábitat do desvalido: se era casa com piso de cerâmica, cimento queimado, chão batido, se tinha eletrodomésticos, geladeira, fogão a gás, ou se era à lenha, ou ainda uma trempe, que você talvez nem saiba o que é. Se abaixo do teto havia forro de gesso, PVC, lona, palha, ou dormia na rua. Até mesmo se os animais de estimação eram cachorros *poodle*, vira-lata, gato, rato, escorpião, piolho de cobra, jararaca ou barbeiro, aquele bicho da doença de Chagas.

— Não se preocupe, Patrícia. Vou falar com ele. Enquanto isso, não faça nada, não mude nada. E aguente mais um pouco no gabinete, por favor.

Abraão pensou em falar logo. Levantou-se e saiu. Primeiro passaria na copa, e antes de lá chegar, ouviu um zum-zum no balcão de atendimento. Parou, e apurou o ouvido para escutar melhor. Esgueirou-se colocando meio-corpo na porta que dava para a sala onde João atendia pessoas.

— Acabou a pensão, e o sobrinho dela, que eu nunca tinha ouvido falar, apareceu do nada e me tirou do apartamento. Estou na rua, com a menina de braço. Daqui que arrume emprego, meu Deus.

Era Maria de Fátima. Balançava a menina, sacudindo-a levemente no colo. A neném chorava, num berreiro estridente, fino, agoniante. Maria de Fátima tinha que disputar com a filha o volume do som da fala para se fazer ouvir. Alisava a cabeça da menina, assoprando mimos no ouvidinho, tentando acalmá-la. Pelo vidro que separava o interior e exterior do balcão, Abraão viu a apreensão de Maria, andando de um lado para o outro, com olhos marejados, magra, descabelada. Foi então que a moça captou a visão do meio corpo do juiz.

— Excelência!!! — gritou do lado de fora.

Abraão estremeceu, jamais imaginando que Maria de Fátima usasse a voz em plenos pulmões. A bebê também se assustou mais ainda. João virou-se para trás, deu com Abraão.

— Doutor, o processo dela já foi arquivado. Acabou o prazo de pensão, não temos mais o que fazer.

— Eu sei, eu sei... — disse saindo do esconderijo e se aproximando de João.

— Excelência! — Maria de Fátima falava com a boca encostada nos furinhos da tela de acrílico que os separava, e que permitia a passagem da voz.

— Oi, acalme-se...

— Como? Nem dinheiro para comprar leite eu tenho. O abrigo não... não aguento.

Maria de Fátima falava rápido. Começou a contar tudo muito desorganizado, mas ainda assim era possível compreender. A empresa de cuidadoras a despediu depois que a licença-maternidade acabou. Recebeu a indenização, mas o dinheiro também acabou. Morava no apartamento, mas o sobrinho de Rute chegou, exigiu a chave, e que ela saísse ou ele chamaria a polícia. Rasgou o papel da cópia da sentença de pensão, o acordo homologado, dizendo que ele era advogado e que aquilo não valia nada para a questão da herança. Ela pediu para ficar só mais alguns meses, até achar outro emprego, ou tentar se mudar para morar com parentes em outro estado, mas o rapaz não quis aceitar. Não deu tempo nem de pedir ajuda, pois no dia seguinte, ao sair para comprar leite para filha, ele voltou e trocou as fechaduras, jogando suas coisas no corredor. Nem o enxoval da filha teve a coragem de colocar em bolsas de plástico. Vizinhos ainda se revoltaram. "Pessoas boas ainda existem, excelência", disse ela. Ela dormiu uns dias na casa da vizinha, um casal de idosos, mas reparou que a filha causava muito incômodo chorando à noite. Decidiu procurar um abrigo, mas não havia nenhum na cidade. A falta de verba municipal fechou todos, e os que ainda funcionavam ficavam na capital. Procurou advogados, mais de um. O primeiro nem a atendeu. O segundo falou em um tal de "trânsito em julgado", pois a lei impedia que se voltasse a discutir a questão da pensão num novo processo. Um terceiro com quem conversou disse apenas que ela viesse ao fórum, e contasse tudo ao juiz. Mas quando estava saindo da sala do advogado, este lhe aconselhou que fosse bem arrumada, maquiada, deixasse a criança com alguém, e que no fim de semana, voltasse ao escritório para lhe contar, ocasião em que sairiam para jantar. "Você é uma moça branca bonita, nova, só precisa de um banho de loja". Quanto a esse último advogado, ela disse que repetia ali por puro desabafo, mas que se sentia um lixo só em reproduzir. Maria de Fátima terminou o relato aos prantos, desculpando-se várias vezes, confessando que a vergonha de pedir só não era maior que o sofrimento.

Se uma mosca pousasse em Abraão, certamente seu peso o quebraria em trilhões de pedaços, ou em quase a mesma quantidade de células que o corpo tem. Um nó na garganta sufocava-o a ponto de estrangular seu pescoço. Com a respiração presa, olhos sem piscar, a evitar a produção de lágrimas, como ele imaginava ser, ouviu tudo calado, tal qual um monumento numa praça pronto para receber cagadas de pombos e não se mexer. Abraão se esforçava para tentar esconder a alma que se agarrava a da jovem e a da bebê a sua frente.

Um silêncio de palavras ganhou o espaço e o tempo, riscados apenas pelo choro da criança e fungadas de Maria de Fátima. Abraão não via ninguém senão sua própria filha. O silêncio se estendeu até o ponto constrangedor, até que João, visivelmente angustiado com o relato, falou:

— A gente sente muito, dona. Mas infelizmente não podemos fazer mais nada...

— Você está com fome? — Abraão interrompeu. Veio-lhe de supetão. Ele simplesmente pensou na primeira coisa que lhe ocorreu para tentar oferecer à Maria de Fátima. Fome.

— Hum? Fome? — ela perguntou sem entender totalmente. Enxugou o rosto com a manga, tentou se recompor. — Estou sim — ainda deu para abrir um sorriso desconsertado. E realmente estava. Três dias sem comer direito, revezando com lanches, salgados, biscoitos recheados e pipocas.

— Tudo bem, arrodeie pelos fundos. Alguém vai preparar alguma coisa para você.

Abraão pediu para Juana caprichar num misto quente com suco para Maria de Fátima. Enquanto isso, voltou para o gabinete e ficou a pensar. Imaginando o que faria. Lembrou de Samanta, a filha poderia ajudar. Ainda estava morando com eles. Então, de assalto, a emoção de uma ideia para ele absurda furtou-lhe a razão.

— Qual o nome dela? — Abraão perguntou olhando pelo retrovisor.

— Rute. Rutinha também — respondeu Maria de Fátima. Fez-se novo silêncio. Ouvia-se apenas o som de buzinas, motores, do ar frio que saia pelos ventiladores do veículo. Ele dirigindo, ela e a bebê no banco traseiro, ao melhor estilo de passageira.

— Etios... é um bom carro — Maria de Fátima falou, embora sem entender nada de veículos. Na verdade, foi uma tentativa tosca de quebrar a ausência constrangedora de sons humanos. Sua filha dormia ronronando ao balançar do veículo. O juiz só respondeu com uma interjeição afirmativa, ocupado mentalmente em compor o discurso que daria à esposa, elaborando argumentos, desenrolando empecilhos, propondo-se mudar em benefício de interesses que Maria Duarte lhe cobrava há tempos. Agora seria a hora de politizar com a verdadeira dona de seu destino.

— O senhor tem certeza de que a sua esposa não vai achar ruim? — Maria de Fátima finalmente perguntou.

— Tenho. Não se preocupe.

Novo silêncio.

— Estava boa a comida?

— Sim, estava. Dona Juana quem fez, é gente boa. E falou muito bem do senhor. Achei engraçado que ela disse "no céu, é Jesus e meu 'padin Ciço', na terra é Lula e o dr. Abraão". Ri bastante com ela. Eu contei sobre o meu caso, e ela disse que o marido só se aposentou graças ao senhor quando chegou lá, que deu a sentença.

Abraão nem lembrava desse processo, a não ser pelo fato de que lhe avisaram que a copeira Juana tivera um passamento, algo como um mal súbito, um desmaio a lhe deixar em semiconsciência. Ao procurar saber a causa, o médico que realizava as perícias e que atendeu a copeira atestou que não havia nada de errado com dona Juana à primeira vista de um exame clínico. "É estresse", falou, e depois de muita insistência das colegas da empresa de limpeza, Juana se expôs: "Quinze anos aqui, nunca falei com nenhum deles nada além do que carecia falar. É só 'bom dia, doutor', 'boa tarde, doutor'. Eles vem e vão, e não sabem nem nosso nome. Mas Zeca está quase aleijado, de cama, e o INSS disse que ele ainda pode trabalhar. E o adevogado falou que eu tenho que falar pro juiz. Como vou falar? Como? Ainda mais pedir? Pedir uma coisa dessas a um juiz! Como? Deus, que sofrimento! E aí o adevogado me ligou, dizendo 'dona Juana, se não falar hoje, se não disser que José é seu marido, ele perde a ação'. Não suportei, meus nervos não aguentaram." Abraão soube das causas que levaram Juana a passar mal, mas a sentença já estava assinada, pronta para ser anexada ao processo. Nunca foi preciso a intervenção da esposa para que José se aposentasse.

Abraão passou por um quebra-molas mais devagar que de costume. Pelo retrovisor, viu Maria de Fátima dormindo também, agarrada à filha, pescoço pendurado de lado. Estava cansada, exausta, consumida pela ansiedade do porvir cheio de vicissitudes, de pessoas más que sobejavam. O dr. Abraão não parecia ser uma delas. Só por isso ouviu parte do conselho do advogado tarado. Como é possível alguém ainda pensar nessas coisas, mesmo depois de ouvir um relato tão triste? Pergunto só para ajudar você a refletir, porque eu mesma nem me surpreendo.

Abraão conferiu a temperatura. Estava levando Maria de Fátima para seu apartamento, numa decisão mal pensada, embora acertada, e que ele não sabia se se arrependeria depois. Entretanto, rapidamente uma sensação boa lhe preencheu de alguma forma ao compartilhar do conforto, ainda que provisório, que concedia àquelas pequenas criaturinhas em seu carro.

Olhou novamente para o retrovisor e sentiu vontade de chorar, só que dessa vez por uma sensação diferente. Preciso fazer uma pausa...

CAPÍTULO V

— Como se sente? — dr. Molina perguntou.
— Melhor... bem melhor.

A segunda sessão aconteceu depois de mais de quatro meses. Abraão havia desistido logo após a primeira, embora sem dizer nada à esposa e à filha. Só com muito esforço, e querendo entender a razão pela qual não sofreu tanto após levar Maria de Fátima para sua casa, é que ele resolveu voltar ao consultório. Parecia movido mais pela curiosidade sobre si mesmo que pela preocupação.

Dr. Molina esperou por mais, mas recebeu só silêncio. Na frente via um homem um pouco mais fechado do que o que se sentara na mesma cadeira. Então deu um cuidadoso passo para fazer a pergunta:

— Acha que melhorou por conta do nosso primeiro encontro? — Molina sabia que era impossível tal mudança fundada numa única sessão.

— Pode ser que sim.

— Por quê?

— Porque... — titubeou, pela segunda vez, e quase uma após outra. Na verdade, o juiz iria dar como resposta: "porque não me importo tanto quanto antes", mas pareceu-lhe uma colocação que, assim disposta, carregava em si desprezo difuso. E não era verdade que desprezava o que importava. No fundo, estava satisfeito com a escolha de dar teto à Maria de Fátima e à Rutinha. Então se importava, mas lhe escapulia a resposta, a palavra. Tanto que terminou a frase com um "não sei".

— Entendo. E quanto ao trabalho?

Abraão viera preparado para esse momento. Sabia que teria de falar sobre o trabalho, e que alguns temas, assuntos, ou questões delicadas poderiam vir à tona. Era preciso falar.

— Não me arrependo de nada — disse só o que lhe veio após a reflexão. Ele tinha preparado tudo tão bem, mas ali, cercado pelas paredes da sua consciência, tudo que pôde foi mencionar carência de arrependimento.

— Por que se arrependeria? Há algo de errado em suas decisões, sentenças, enfim...

Abraão se ajeitou na cadeira.

— Não, quer dizer, eu sei que não há. Mas, pelo menos algumas, deveriam ter sido tomadas de outra forma.

Houve um silêncio. A luz amarela e fraca do abajur ao lado iluminava só uma banda do rosto de cada um, deixando a outra nas trevas: do analista, o lado direito; do analisando, o esquerdo, e vice-versa. Era como se, de frente ao espelho e ombreados, fossem um só.

— A forma e conteúdo. Já pensou se o conteúdo fosse água? — dr. Molina perguntou e deixou propositalmente Abraão se esforçar na elaboração de uma resposta. A dúvida sobre a estranheza ou metáfora poderia atrair o interesse.

— Como assim se fosse água? Eu não entendi.

— Imagine que o conteúdo de sua decisão fosse um líquido que você tivesse de servir a alguém que dele necessitasse, sob pena de morte. Entretanto, em razão de regras que você desconhece ou desconsidera os motivos de sua existência, essa pessoa somente poderia tomar tal líquido se o levasse para ela num recipiente de vidro muito específico, com uma confusa forma cilíndrica, mas do qual você não o teria à disposição na ocasião. Por outro lado, tudo ao seu exato alcance seria um copo com métrica perfeita e adequada para entregar à pessoa aquele mesmo líquido.

Abraão então entendeu. A analogia lhe parecia muito comum ao que havia pensado: o conteúdo das leis. Não só de uma, duas ou três. Mas um pandemônio delas, dezenas de milhares, muitas das quais com aplicações contraditórias até mesmo entre os membros das cortes mais altas. Leis que além do número, traziam outros significados e outras denominações: normas, princípios, postulados, regras, a se desdobrarem em primárias, secundárias, fortes, fracas, duras, moles, internas, externas, históricas, terrenas, divinas... blá, blá, blá.

Dr. Molina não esperou a resposta. O tempo não havia acabado, mas lhe veio a propósito fazer o paciente ficar a refletir a última colocação. E assim se deu. Abraão saiu do consultório remoendo o raciocínio e esmagando a razão. Tudo era tão líquido, tão frágil e, ao mesmo tempo, tão indestrutível.

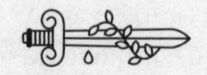

— Indefiro — Kleiton interrompeu o advogado enquanto esse fazia um requerimento durante a audiência.

— Excelência, peço então que conste na ata...

— Não é necessário, há uma filmagem, o doutor pode se utilizar dela. Agora podem trazer a próxima testemunha.

— Excelência, não temos mais testemunhas. Essas que vossa excelência excluiu eram as únicas.

— Diria que sinto muito doutor, mas nem isso posso. Então vou ouvir o depoimento tão-somente da autora, e isso se o procurador do INSS não desistir.

O procurador não desistiu. Nem estava prestando atenção na audiência. Já era a quinta do dia. Faltavam mais três. Antes de começar a primeira, Abraão fora até o gabinete de Kleiton para lhe dar péssimas notícias. Suas asas começavam a ser podadas. O jovem entrara em combustão de tanta raiva. Alguém precisava pagar por seu infortúnio. Não deu "boa-tarde" a ninguém. Sentou-se, abriu o aplicativo da Bovespa e esperou Diana organizar as audiências, chamando as partes e testemunhas, as quais caminhavam em fila indiana, como condenadas para o cadafalso montado na praça do Rossio, mas que eram senão cadeiras resfriadas pelo ar-condicionado gélido. Frio não era problema para o magistrado, que vestia camisa, terno e gravata, para depois embotar-se numa toga preta, trazendo a lembrança de um juiz inglês; faltava-lhe a peruca branca, que mesmo a custo de muito pó de arroz, ainda assim, não o faria mais velho. A cara, limpa de rugas e linhas de expressão, era o cuidado primevo do dia de Kleiton. Cremes e mais cremes. Loções para uma barba com fios aqui e ali. Com um só gesto de cabeça, ao que todos entenderam como um "pode chamar a autora", deu início a audiência.

A senhora Madalena, que também carregava o sofrível nome "Maria", entrou na sala. A fama desgraçada do juiz logo se instalou entre os advogados, que para se eximirem do fracasso e da penúria das improcedências, repassavam às partes a imagem do inferno. Diziam que o magistrado era um dos piores que já pisara por ali. Madalena só ouviu horrores, mas entrou resignada. Confiava na misericórdia de Deus, que tocaria o coração do juiz, porque todos têm, sem dúvida, esse órgão indispensável à vida. Tremendo de frio, e corroída por uma dor de cabeça, sentou-se no banco do autor, que estava mais para banco dos réus. Pensou em dar "boa-tarde", mas o juiz não a olhava ainda. Então esperou.

— Doutor, pode ficar à vontade para perguntar a autora — Kleiton se dirigiu ao procurador do INSS, enquanto Madalena urgia para que ele a olhasse nos olhos. Não queria perder a oportunidade de estabelecer contato com a alma daquele jovem.

O procurador fez perguntas e mais perguntas. Todas respondidas. Na maioria, Madalena falava caçando a visão do juiz, que muito raramente a olhava. E quando o fazia de soslaio era com impaciência dada a extensão ou lentidão da resposta da mulher.

— Satisfeito, excelência — o procurador do INSS terminou.

Kleiton levantou a cabeça. Estava perdendo dinheiro na Bovespa. Péssima escolha ter dado ordens de venda na baixa das ações quando ao final do dia tudo parecia melhorar.

— Senhora Madalena — disse sem olhar a mulher nos olhos —, se aproxime e me mostre suas mãos.

Você não é obrigado a saber que juízes — não o livro do Heptateuco — julgavam causas contra o INSS de pessoas que se diziam segurados especiais, isto é, aqueles que trabalharam a vida toda na roça. Essas pessoas (que a lei chamava de "especiais", mas os outros chamavam de rurícolas), careciam vencer um labor de campo durante um tempo da vida, e quando atingiam a idade de 55 anos, para mulher, ou sessenta, para homem, tinham o direito à aposentaria. Então, era comum que as mãos dos da roça fossem calejadas, e os juízes (alguns) buscavam nos calos e feridas a evidência de trabalho. Eis o que se chamava de inspeção judicial: prova do labor na pele e na carne, que se fazia com o toque ordálio nas mãos do pecador, para saber se o roceiro é roceiro.

Madalena se levantou.

— Não esqueça o álcool — o juiz a alertou.

Ela então passou nas mãos o álcool em gel. Foi até a bancada acima em que ficava o juiz. Estendeu-lhe as mãos, erguendo-as ao alto, como se em petição de esmola, mas como eram as duas, aproveitou para pedir ao Jesus dela. Kleiton então esticou o pescoço, aproximou-se, passou os dedos nas palmas calosas de Madalena. Sentiu a aspereza, os nós de tecido morto em alto relevo, que se seguiam às juntas e secções das falanges. Anos de cabo de enxada, de uma, duas, e até três libras, ferramenta que dava lugar às contas do rosário quando Madalena pedia perdão a Deus pelo castigo de ter uma vida tão sofrida.

— Vire-as.

Ela virou, mostrando os dorsos. Negros, queimados pelo sol, num contraste medonho com a parte interna. Enrugados pelo excesso de pele ou falta de carne. Madalena ainda esperançava o olhar que não vinha. Murmurava uma reza a Judas, não o Iscariotes, que, claro, não foi santo, e sim o Tadeu, aquele mesmo das causas perdidas. Eu o conheci nos corredores de um fórum romano, ouvia a uma prece de um suplicante que ao final do processo foi estripado.

Kleiton, com outro vago gesto, dispensou as mãos moídas da mulher.

— Quinze dias para razões finais em memoriais — disse afastando-se da bancada. — Diana, cancele as outras, eu vou precisar sair agora.

— Excelência — o advogado de Madalena falou —, se possível eu gostaria de apresentar as razões finais orais. Esse processo já está bastante atrasado...

— Doutor, eu já falei que preciso sair.

— Então quero que conste na ata o indeferimento...

O juiz parou um instante. Sabia que a pressa do advogado tinha a ver, naturalmente, com o valor que a ação poderia lhe render de honorários. "Esses advogados previdenciaristas, todos medíocres, e ganham rios de dinheiros com honorários, mas são estúpidos como uma porta. Esse pelo menos não ganhará nada, absolutamente." Ainda deu tempo de pensar, e então disse:

— Novamente? Novamente esse pedido inútil de constar em ata? O senhor precisa estudar mais. Eu já falei que preciso sair, e que a filmagem... Diana, por favor, desligue a câmera.

— Agora não está mais filmando — o advogado falou com um tom mais severo.

— Não, não está, poupei o senhor de uma vergonha maior. Deveria me agradecer. Agora, mesmo sem sua licença, vou sair.

E saiu girando o corpo, no que foi esplêndido o efeito que a toga fez, a lhe dar um aspecto de homem morcego, ou vampiro sanguessuga. A referência não escapou ao advogado que, tomado pela fúria, logo espalhou o novo apelido: "conde Kleiton". Se o vulgo chegasse aos ouvidos do juiz, decerto ele ficaria curioso. Alguém diria que era uma referência ao estilo aristocrático. Mas o símbolo tem dessas vantagens: muito se diz com pouco.

Acabaria o dia pensando em como bater de frente com as determinações do juiz titular. "Eu sou o Kleiton sabichão!", deve ter pensado.

Abraão nem lembrava das suas noites em claro quando do nascimento de sua filha. Fazia muito tempo. Mas esse mesmo tempo foi adubo para sua paciência com uma nova criança; criança nova que lhe furtava o sono que não lhe fez falta.

— Seu pai, colocando a Rutinha para dormir, é uma graça — disse Maria de Fátima à Samanta, que estava sentada na varanda.

Respirava o ar do entardecer. Coisa rara, raríssima em tempos de frenesi. Ela passava a maior parte do dia fora. Voltava e queria só descansar. Mas a sombra de Jair ocupava cada vez mais seus pensamentos. Longos períodos em silêncio, a olhar para o vazio ou para a parede que tinha nada. Seu pai e mãe reparavam o quanto a filha ainda gostava do marido em vias de separação. Era amor assintomático, algo enraizado, perdido numa profundeza oceânica, escura e inóspita, em que não se enxergavam razões que justificassem Samanta ainda gostar de alguém tão horrendo. E nisso a filha se afogava, descendo para esse abismo sozinha e em si, a procura de algo que nem ela nem ninguém via, vez que não existia. No lento processo, sobejava a dor da falta, das escolhas ruins, do choro represado e, talvez, da saudade.

Maria de Fátima deduzia pelas entrelinhas das frases largadas nos corredores, na cozinha, na sala. A mãe de Samanta não fazia tanta questão de esconder, embora não quisesse caminhar pela Via Dolorosa de mãos dadas à amiga da filha. Maria de Fátima já carregava sua própria cruz-benção de sete quilos. E essa cruzinha gordinha fofinha era luz no breu que as trevas de Jair deixaram naquele apartamento.

— Ah, é uma graça mesmo — Samanta respondeu, olhando o pai na sala. — Puxe uma cadeira.

Maria de Fátima se sentou. Abraão de longe notou a filha e a amiga conversando. Depois trouxe os olhos para a Rutinha, que dormia fazendo um bico, pela pressão do queixo no pescocinho. Por uma fração tão infinita de segundos, ele aceitou que se a morte batesse em sua porta, ele iria em paz. Eu de cá, nem dei a mínima, se um juiz a mais ou a menos ia sem julgamento. Olhou para a filha e a amiga novamente. Elas agora riam, gargalhando uma com a outra, entrecortando os assuntos com frases em bom tom, e cochichos conspiratórios e ao pé do ouvido. Então ele se aproximou sorrateiro o quanto pode.

— Sério, de verdade, eu nunca imaginei que ela pudesse fazer aquilo — Abraão pegou só o final da fala de Maria de Fátima. As moças não notaram sua aproximação de curioso, e continuaram.

— Aí, eu descobri — Maria de Fátima retomava a fala — que ela não sabia de nada, nunca soube, mas inventava tudo para que a gente não saísse de lá.

— Não diga? Jura!
— Por essa luz que nos ilumina!
— E aí?
— Aí não prestou não, eu voltei lá e fiz um barraco.
— Dou por visto...

Abraão deixou-as. Ouvira o bastante. Estava satisfeito. Em casa, precisava só ter paciência. Paciência com os berreiros da bebê madrugada adentro, com a situação da filha, com as novas exigências da esposa, e, finalmente, com o plano que pusera em prática.

CAPÍTULO VI

O pai de Fernando Crespi era poeta nas horas vagas, que eram poucas, pouquíssimas. O trabalho de mecânico numa oficina consumia a maior parte de sua vida. Era empregado, ganhava um salário mínimo, e fazia o serviço com muito bom gosto. Já se passava cinco anos que o pai de Fernando escorregava por baixo de carros à procura de defeitos, e em todo esse tempo, nada de conhecer, sequer ver, o "dono" da loja. "Ele mora na capital", diziam.

Mas o pai de Fernando estava sempre rindo, alegre, feliz. Era casado com a mãe de Fernando, a moça vendedora de uma loja de joias no shopping. Ele a amava, e dela recebia o mesmo sentimento. Do casal nascera uma filha, menina linda. Tudo parecia tão bem e perfeito que demônios ficaram incomodados.

Então, Fernando nasceu, e não demorou muito para descobrirem que, com ele, uma doença horrível veio.

— Dr. Abraão, na semana que vem, teremos audiências criminais.

— Obrigado, Diana.

— Temos dois processos complicados.

Realmente eram. Um, um homem de 35 anos estava sendo processado pela segunda vez por ter baixado e armazenado em seu computador conteúdo pornográfico envolvendo crianças. O outro processo era de um empresário. Segundo a acusação, o réu, dono de uma fábrica de empacotar farinha de mandioca, comprava produto que era vendido em barracões onde crianças e adolescentes trabalhavam. Ainda segundo a acusação, tudo, inclusive esses barracões onde a mandioca era descascada, pertencia indiretamente ao réu, que controlava a operação por meio de terceiros. Às vezes eu leio o que falo e me vejo quase como uma âncora de jornal.

Voltemos.

A vivência na vara parecia ter melhorado. Talvez estivesse o conde Kleiton sabichão procurando melhor momento para agir novamente. Talvez. Mas a verdade era que Abraão, aos poucos, recuperava a rédea de sua vida, tomando decisões firmes, ainda que erradas do ponto de vista estritamente jurídico, mas isso era o de menos. Ora, havia fundamento real naquilo tudo? Que tudo? Tudo quanto o que ele aprendera, tudo quanto à justiça, à Constituição, à lei ou às leis, ao certo, ao errado. Não raro, Abraão regava sentimentos hostis a todo o sistema de justiça, lançando dúvidas sobre suas bases. "Que justiça é essa que eu passei a vida aplicando?" Fazia isso em voz alta e eu, ouvindo, por incrível que pareça, começava a concordar. O que há meses era uma sensação de abandono, medo, angústia, tristeza, melancolia e, principalmente, infelicidade, agora era rebeldia, revolta e revolução.

"Armas, para que te quero?" Não queria fugir, não mais, e isso era bom, eu achava bom. Você não?

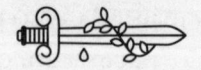

— Pobrezinha da menina. Morrendo de fome. Muita fome, eu vi. Preparei um pão com queijo e presunto. Ela comeu que se acabou, ali mesmo, sentada.

Juana falava para Luana, que também trabalhava na faxina, contratada da empresa que prestava tal serviço. Juana contava empolgada sobre Maria de Fátima.

— Dr. Abraão levou ela? — Luana perguntou.

— Sim, o homem é um santo vivo. Ó, meu Deus — Juana fez o sinal da cruz emocionada —, cuide da vida do doutor.

— Juana, por favor, só não vá chorar como chorou quando o Lula foi preso.

— Eu digo sempre, depois de Lula, só o dr. Abraão.

— E qual a relação entre ambos? — perguntou Kleiton, que estava atrás da porta, ouvindo a conversa da copeira. Juana empalideceu. Parda que era, ficou verdadeiramente branca, um bege desbotado. Arregalou os olhos oblíquos, sua herança indígena, e segurou firme o bule de café para não deixar escapar das mãos. A copa era estreita, e quase nunca nenhum funcionário ou servidor ia até lá, pois havia também uma antessala onde uma mesa dava maior comodidade a quem quisesse fazer refeições. Luana logo pediu licença e saiu; a pergunta foi feita à Juana.

— Me desculpe, doutor...

— Excelência — Kleiton a cortou na fala. Mirava-a com perfídia. Mais alto do que ela, a visão descia numa linha diagonal proporcionada pela inclinação angular das órbitas dos olhos: ele não baixava a cabeça. Juana estremecia, sufocava. Perdeu toda a força na língua, e não sabia se poderia sair sem dar a resposta. Então apenas ouviu.

— Vocês misturam as coisas. Religião não tem nada a ver com justiça. Uma tem base em fé, é metafísica, o que jamais permitirá a vocês verem, com essa convicção cega, o que um homem como o ex-condenado e ex-presidiário Lula fez.

O juiz esperou numa pausa. Queria que a copeira concordasse.

— Estou correto?

— Sim.

— "Sim" o quê? — a copa parecia ter ficado menor, tornando-se uma prisão. Não, um elevador, em que cabia só o juiz e a copeira, frente a frente, a descer ao inferno. Juana lembrou-se do Lula, de Jesus, e de santos que lhe vinham à cabeça, e que foram torturados. Ela não sabia por que razão esses nomes lhe acudiam logo àquela hora, e em tão sub-reptícia recordação. Imaginou, de outro lado, estar fazendo algo de errado, traindo a quem amava, traindo o Lula, que no coração ela amava; amava mais que tudo que não fosse sua família. Desejou forte que o juiz fosse embora, deixasse-a em paz. Ela era só uma pobre copeira, não falaria mais de política ali. Nunca mais.

— "Sim" o quê? — Kleiton repetiu subindo o tom.
— Sim, excelência.
— Muito bem — mas o juiz ainda sentia a hesitação, e só sairia após satisfeita a sede por sangue. Impossível não perceber que a relação entre Lula e Abraão feita pela copeira se dava pela estima que essa tinha por aqueles. E Kleiton já não tragava Abraão. Talvez fazer mal a um refletisse no outro, quem sabe?
— Qual o seu nome?
— Ju-Juana, e-excelência.
— Juana, fique calma. Respire, eu não mordo. Certo? Agora vamos ver se aprendeu. Fale: não se mistura religião com Direito.

A copeira, ainda hesitante, reproduziu com entrecortes o que lhe ordenou o juiz, balbuciando, receando esquecer as palavras da frase. O jovem, deleitado com o espetáculo, vestiu-se de inquisidor, para terminar:
— Muito bem, parabéns. Agora diga: o Lula é um ex-condenado e ex-presidiário. Vamos, você consegue, só precisa isso "ex-condenado, ex-presidiário", coisas que não deixam de ser verdade, não é Juana? Vamos, estou esperando.

Dois segundos se passaram, e Juana tentava abrir a boca, em vão. Estava travada, aquilo lhe era demais. Sentiu que estava perdendo as forças, os sentidos.
— Ok, chega — disse o juiz a si mesmo. — Agora faça um café para mim, e me traga no gabinete — terminou e saiu.

Juana começou a chorar. O corpo inteiro tremia, braços roliços tais quais os de crianças recém-nascidas, e pernas curtas, cada um de seus membros atingidos por espasmos. Não conseguiam segurar as ferramentas para preparar o café. A chaleira, a água, o coador, tudo se sacudia em sua mão a ponto de se soltar, voando pela pia ou chão. Soltou tudo e apertou as próprias mãos suadas e frias, uma com a outra. De repente, sentiu o coração acelerar. Uma dor na barriga, subindo ventre acima, e irradiando para o braço. *Vou morrer*, pensou. Começou a rezar, pedindo perdão pelos pecados e que Jesus a recebesse, porque sonhava em estar na presença do homem loiro de olhos azuis que ela supunha ser o mesmo do escapulário que agora agarrava com uma mão enquanto a outra apertava o ventre dolorido. No fim da reza rogou, com forças sobressalentes, que seu último desejo fosse que Deus garantisse saúde para os filhos e netos.

Luana entrou novamente na copa, e ao ver o estado de Juana, correu para acudi-la. Pela segunda vez, a mulher teve um passamento. E desta, muito pior que a primeira, fez-se necessária uma ambulância para levá-la ao hospital. O dia, que de todo era ordinário para os servidores, começou a ganhar uma tonalidade escura. Comentários se espalharam. Luana não poupou suposições. Disse não ter visto ou ouvido nada, mas que a copeira estava boazinha antes de o juiz chegar. O pessoal do gabinete, que conhecia o histórico de Juana, deduziu o pior: uma advertência vulgar, sem sequer intenção de reprimenda, poderia ter sido a causa. Ou, na pior e mais aceita hipótese, maus-tratos do juiz, que pelo modo como tratava os outros, fazia fama.

Abraão não soube no dia. Não estava no fórum. Chegou-lhe apenas a notícia: Juana havia sido internada. Infartara. Seria necessário um cateterismo com urgência. Mas o valor, cinco mil reais, estava além das condições da copeira. Compadeceu-se imediatamente, e não pensou duas vezes em ajudar com a vaquinha que fizeram na vara. A causa do infarto, por outro lado, foi-lhe sonegada, dadas as incertezas que a rondavam.

Maria Duarte, bebericando café e bem acomodada no *hall* da concessionária, aguardava a revisão do carro. Assistia com displicência a um programa qualquer da manhã. Mas a cabeça ficara em casa, na filha e nas novas inquilinas. Não queria pensar muito, mas não havia jeito de correr das ideias envolvendo a amizade de Maria de Fátima e Samanta. *Ora, isso é bobagem.* Tomou um gole, percebendo que o café estava frio. Voltou para a ideia. *Será que elas poderiam? Santo Deus!* Não lhe escapou a lembrança da vez que Samanta fez escondida uma tatuagem. Estava feito. Então, como a se conformar, mais uma vez deu por certa a inutilidade de traçar estradas para os filhos, no caso dela, para a filha. *Sempre escolhem rotas próprias.*

— Senhora Maria Duarte, a revisão está quase pronta. Nosso mecânico deseja falar sobre um probleminha.

A mulher da recepção fez o comunicado e Maria se levantou, recolheu a bolsa para baixo do braço, e logo esqueceria o que estava pensando. O "probleminha" ocupou sua atenção. Logo estaria recebendo o veículo, devidamente limpo e perfumado. Quem lhe entregava o carro era Marcelo, que deu bom-dia, disse o nome, tudo numa apresentação digna com sorriso de orelha a orelha. Rapaz jovem e bonito, vestido num limpo macacão, embora com nódoas velhas aqui e ali. Explicou o funcionamento com riqueza de detalhes que eram inúteis aos não iniciados em mecânica.

— A senhora entendeu?

— Sim, meu filho, obrigada — falou sem ter certeza de que realmente compreendera todas aquelas orientações e ajustes. Mas não queria desmanchar a presença de espírito alegre de Marcelo, sem sombra de dúvida, contagiante.

— Nós que agradecemos imensamente a escolha.

— Marcelo, nunca o vi por aqui, e certamente não esqueceria. É bem atípico sermos atendidos tão bem por alguém tão alegre e sorridente — Maria Duarte completou enquanto entrava no carro.

— É que fui promovido.

— Ah, então aí está a razão de tanta alegria, suponho.

— Também. Mas tenho como mote de vida sempre ser assim. Nega-me o pão, o ar, a luz, a primavera, mas nunca teu riso, porque senão morreria, e a melhor moeda para comprar o riso dos outros é vendendo-lhes o meu.

Marcelo disse enquanto ajudava a fechar a porta do veículo. Maria Duarte sorriu de volta, surpresa com a desenvoltura do rapaz. Pouca coisa, àquela altura da vida, causava-lhe espanto e, ali, naquele dia comum, ver um jovem tão animado, a declamar poesia, era mais que inusitado. Era gratificante.

— Até mais.

— Até.

Marcelo ficou olhando o carro saindo da concessionária, contemplando a brisa leve que lhe refrescava o rosto escuro abaixo dos raios mornos do sol. Tudo estaria perfeito se não fosse pelo filho pequeno, que cedo estivera doente, chorando em demasia, e aos cuidados da mãe, que pediu licença do emprego sob olhares furiosos dos patrões, para levar o infante ao hospital.

O telefone vibrou numa chamada.

Marcelo o sacou do bolso.

Atendeu à ligação. Era a esposa.

— Oi, amor — ele disse.

Uma cacofonia de palavras, choros e interjeições, impediam a compreensão do que a esposa falava. Estava aos prantos. Logo, Marcelo pensou no pior. Pediu calma. Pediu mais de uma vez, para numa terceira ouvir com razoável atenção.

— O Fernando está doente, meu Deus, é muito sério.

O riso magnético de Marcelo, o pai de Fernando, logo tornou-se ferrugem e pó.

CAPÍTULO VII

— O que *você* falou para Juana? — esbravejou Abraão. Foram raríssimos na sua existência momentos em que Abraão falou com tanta raiva como naquela tarde. Fez questão de enaltecer o pronome "você" ao se dirigir a Kleiton.

— Não faço ideia do que está falando.

— *Você* — de novo o pronome — entrou na copa e depois Juana infartou.

— Doutor, o senhor está se escutando falar? Ou será que sou eu quem está sendo acusado de dar causa a um infarto?

Kleiton vilão falava com calma, serenidade, sobriedade que era o oposto do que ocorria do outro lado, com Abraão a tencionar as cordas vocais ao máximo. Era mais que evidente que jamais haveria confissão.

— O que você falou então, diga-me só isso.

— Amenidades sobre política e religião. Não me vem à mente o teor, mas presumo que se tratava de algo um pouco aquém do que se devesse preocupar alguém a tal ponto de ruptura de coronárias.

— Eu peço — Abraão baixou o tom — encarecidamente que evite falar com Juana.

— E por que faria isso?

— Para seu bem.

— Deveria ser para o dela, suponho.

— Não, é para o seu. Apenas o seu.

— É uma ameaça?
— Parece ser, doutor?
Kleiton silenciou. Convinha recuar. Aguardar uma rodada nova, nova mão, cartas novas. Não via no pedido de Abraão outra coisa senão uma velada ameaça. Segurou-se, e agora era ele quem domava a língua, espetando-lhe o domo da boca. Viu o titular dando-lhe as costas, e deixando a porta aberta. Atiraria nele nesse instante se armado estivesse. A regra era clara, "sempre feche a porta ao sair", e Abraão fazia com o propósito de desordenar.
— Ele não é tão santo que não possa dar um deslize.
Kleiton arrodeou seu birô, fechou a porta com violência, voltou ao computador, e começou a pesquisar sobre processos. Iniciaria pelos que tiveram valores liberados, altos valores, como alvarás expedidos e precatórios. Depois pesquisaria naqueles mais atrasados, depois nos de aposentadoria, depois nos de pensão. Daí lembrou da moça com quem Juana falava, e sobre a outra moça que havia se alimentado na copa. Por que a ajudou? Abriu um bloco de notas e começou a rabiscar, anotando números, datas, nomes, valores. Fez organogramas, ensaios, planilhas com os valores liberados acima de um milhão de reais. Foi ali, veio aqui, foi acolá. Saiu da sala, procurou e falou com Luana, dissimulando a raiva contra sua delatora, aveludando a voz, e iniciando com perguntas sobre a saúde de Juana. A moça da limpeza respondeu prontamente, mas sempre dizendo menos do que queria dizer. O juiz descobriu que o outro juiz encontrou a refugiada

com a criança no colo na sala de atendimento. Nova peregrinação, dessa vez para interrogar João com vagas palavras: quem era a moça? Qual o problema? O que aconteceu? Qual o número do processo? Quem sabe não posso ajudar? Munido de informações ordinárias, voltou ao computador, e criou uma "nova pasta" renomeando para "Dossiê Condor". Fuçou e procurou nos processos eletrônicos. Sua sala trocou de roupa, deixando a luz vermelha do sol que tingia a paredes dar lugar à branca do teto. Horas comidas, quase meia-noite, e Kleiton só com o almoço. O rapaz da segurança bateu à porta.

— Excelência?!
— Pois não.
— Vim saber se está tudo bem.
— Está, obrigado.

O trabalho continuou, e o juiz não parou até bem cedo amanhecer. Seus olhos eram negritude em redor das boças e olheiras. Assanhado, sem terno, sem gravata, apenas com meias. Fome, sono e raiva, muita raiva. O resultado: inconclusivo ou dúbio, no mínimo, dava-lhe mostras de que Abraão errou muito, mas em nenhuma das vezes com risco para uma representação, ou reclamação à altura de um problema realmente sério.

— Ele é muito burro, mas burrice não é crime.

Contudo, algo tirava-lhe o sono que cobrava pedágio. O processo de Maria de Fátima encerrar-se num acordo, algo comum e sem qualquer participação do juiz. "Só isso?", perguntou-se, mas não achou resposta. Deu por terminada sua tentativa de criar um dossiê.

Fechou as pastas, desligou o computador, e foi embora. Passou-lhe desapercebido que na sua planilha havia um alvará, dos mais altos que Abraão liberara nos últimos meses, e que teria como beneficiário o mesmo procurador do INSS que, no dia da audiência de Maria de Fátima, concordara em fazer o acordo. Para a sorte do titular, o substituto não era vilão da Marvel.

Uma senhora na Galileia me disse uma vez que tem coisas que causam sofrimento; outra (no singular), causa morte por antecipação. Perder um filho — "e só quem já perdeu pode experimentar", ela disse — ou causa sofrimento, ou mata antes de matar. Nenhum filho deveria ser enterrado pela mãe. É contra a ordem natural das coisas. Mas o que esse mundo não tem é ordem. Algumas vivem o eterno luto, inútil falar; outras são embalsamadas vivas, e às vezes ressuscitam no dia que não é o terceiro, nem o quarto, nem o quadragésimo, ou sexagésimo. Nesses, elas tendem a morrer novamente, ao lembrarem da dor da mãe de Deus, pelo menos as mães de fé cristã, como Madalena, aquela mesma senhora que espera um processo de aposentadoria à espera da sentença de Kleiton vilão.

Seu filho morreu há um bom tempo. Jovem de dezesseis anos. José Carlos era seu nome. Madalena foi mãe várias vezes, mas nenhuma de suas crias era mais querida que Carlinhos. Nascido após uma sequência de abortos e natimortos, era o único homem entre as cinco filhas a que deu à luz. O marido faleceu quando o pequeno Carlinhos aprendeu a dar os primeiros passos. A vida que já era ruim ficou pior. Fome, miséria e abandono num pedaço de terra esquecido, cercado por essa natureza de quem, alguém, se diz dono.

— Como a senhora vai dar conta de entregar a meia?

— Não sei, seu João.

— Pois saiba, que o homem está querendo saber como vai ser.

O homem era José Brandão, fazendeiro de terras a perder de vista. Fazia contratos de parcerias com moradores. Entregava lotes para cultivo, e cobrava-lhes 50% da produção.

— Vou falar com o dr. Brandão para mandar o Cisco trazer o trator para arar cinco tarefas. Mas saiba que é cem conto a hora. A senhora pode pagar depois na entrega da colheita. Outra coisa, ele quer a cerca consertada até o fim do mês. Eu sei que o marido da senhora passou um bom tempo doente, que Deus o tenha, mas a propriedade ficou uma desgraça. E a cerca do outro lado fica bem na estrada pra casa do patrão. Toda semana ele passa e vê o abandono, com as estacas virada, faltando algumas. É bom a senhora pensar direitinho se não é melhor sair. Tem outra família querendo vir, e com homem para esse serviço braçal.

— Pode deixar, seu João, eu dou um jeito até o fim do mês. A gente dá um jeito.

E João deixou Madalena cercada das filhas, a verem aquele pedaço do mundo que não era delas, e nem nunca seria, mas que se agarravam como se fosse. Carlinhos cresceu. Aos oito já pegava na enxada, fazia canteiros na roça de hortaliças. Brincava também, mas não estudava. Cresceu mais, e com doze andava de cavalo, o único que a mãe conseguia manter. Certo dia caiu e quase quebrou o espinhaço. Mas era peixinho pequeno. Problema de peixe grande vinha do céu, ou pelo menos do que não vinha de lá. Uma severa seca arruinou a colheita e, já com quinze anos, José Carlos soube que um homem, que começou a comprar terras aos arredores, estava precisando de trabalhadores. Prontamente apareceu não só ele, mas duas irmãs e a mãe, Madalena. Um dia, enquanto todos voltavam pela estrada em cima do carroção puxado por um trator, apinhado de trabalhadores e carregado de maniva de mandioca, um buraco causou um sacolejo forte e José Carlos escorregou das grades. O jovem caiu, e o pneu do carroção passou por cima de sua cabeça.

Afastaram a mãe, em choque, do local onde jazia o corpo, coberto com uma lona. As filhas ajudaram. O pedaço de pano só cobria parte do corpo. José Carlos usava bermudas naquele dia, e dava para ver as pernas escuras, cabeludas, apenas um pé calçado. A outra sandália perdera-se, talvez tivesse ficado presa no meio da carga de mandioca. A comoção foi total. A cena horrível aterrorizou os trabalhadores. Ninguém conseguia fazer mais nada. O motorista dizia não ter culpa, e não demonstrava preocupação, a não ser com o atraso. Logo chegou outro trabalhador num carro aberto, trazendo reprimenda do dono da carga.

— Eu levo elas para casa, mas o restante tem que chegar lá logo.

E assim fez. Madalena e as filhas vieram dividindo a carroceria de uma pickup com o corpo do filho, pois a boleia já estava ocupada. O restante dos trabalhadores foi direto para as casas de farinha.

No caminho, Madalena não conseguia parar de ouvir um som estranho, um som de estouro oco. Estava do outro lado do carroção quando o acidente ocorreu e não viu nada. Mas o som renitente ficava indo e voltando. Um estouro. Até hoje lembra, sem dizer a ninguém, claro, que a princípio achou que fosse um coco, uma cabaça, mas jamais a cabeça de seu próprio filho.

CAPÍTULO VIII

Abraão teve outro ataque. Seus nervos perdiam a nova batalha. Pânico e depois choro. Fazia tempo desde os últimos meses. Mas esse último viera forte. Tão avassalador que, ao invés de ir ao banheiro do gabinete, simplesmente deixou as audiências por realizar e voltou para casa. Precisava urgentemente de outra conversa com o dr. Molina. Qual a razão dessa vez? Por que isso não acabava? Aliás, por que voltava? Será que tinha a ver com Juana? Mas a copeira estava se recuperando, o exame fora bem-sucedido, os médicos afirmaram não ser necessária angioplastia ou outras intervenções mais invasivas. Não era; era?

— Tudo começou quando vi meu gabinete brilhando em folha — disse a si, enquanto dirigia. A limpeza era feita por Juana, e não Luana, que limpava o resto. Qualquer das duas trabalhava bem, mas Juana insistia em cuidar daquele pedacinho do fórum. "Pode deixar que eu faço questão de limpar o escritório do doutor", dizia a funcionária da empresa da limpeza. Com o esposo em casa, aposentado, desfrutando do produto de uma vida de labor, Juana transpirava boa vontade. "Trouxe um doce de leite que eu mesma fiz, doutor", e os mimos em guloseimas se multiplicavam. Bolo em pote, coxinhas, escondidinhos, brigadeiros, uma culinária infinita de alguém que aprendeu a respeitar tão só pelo coração bondoso que carregava do lado esquerdo.

Abraão olhava para seu peito, e quase podia sentir o coração batendo na esquerda. Chegou ao apartamento e só melhorou porque sua primeira visão após atravessar a soleira foi a da neta brincando. Neta? Que neta? Rutinha? Sim, ele, por frações de milissegundos, pensou ser a bebê sua neta. Brincava na sala, no tapete felpudo, sentadinha, cercada de travesseiros, mantendo-se equilibrada para não tombar de lado ou para trás, enquanto Maria de Fátima tomava sorvete e assistia TV, com olhos vidrados na programação da tarde que passava no canal de assinatura. Aproximou-se e deu boa-tarde. Maria de Fátima deu um pulo quando ouviu Abraão. Nem percebera a aproximação. Estava largada sobre as pernas cruzadas, numa posição que aleijaria os joelhos de um idoso, afundada entre as almofadas do sofá.

— Boa tarde — disse se ajeitando, envergonhada. Não olharia por nada no mundo a cara do dono da casa. Mas esse, abstraído do carnaval em que se encontrava sua sala de estar, só fitava a pequena Rute, babando um mordedor, ensopada de xixi, com uma fralda que pesava facilmente um terço do peso da própria criança. A menininha era linda, e Abraão apreciava. Ela ergueu a cabeça e os olhinhos para alcançar aquele homão que lhe fazia sombra, e, no fim, sorriu mostrando dois dentinhos no meio das gengivas rosas. Que imagem poderia ser mais propagadora da felicidade que a de um bebê rindo? Mais vontade de chorar. Forte dessa vez. Mordeu os lábios, apertando com força. Levantou a vista, pois continuar olhando para Rute o rasgava. Era como se fosse errado ser feliz em meio à tristeza de alguém lá fora. À procura de alvo vulgar, deu com o que passava na televisão. Mas as imagens não lhe representavam nada. A estadia de Abraão, parado ao lado, impacientou Maria de Fátima, que tomou coragem para olhá-lo. O reflexo dos óculos não deixava que se visse suas órbitas aguadas, e o rosto não traía a tempestade de angústia interna.

— O senhor acompanha também?
— Ãn? Ah, não.
Novo silêncio.
— Como é que vai no fórum? E a dona Juana? Eu soube da bichinha.

Abraão desabou. Maria de Fátima se assustou. Pensou no pior: *morreu a copeira. Meu Deus, e agora, o que eu faço?* Ele, chorando e soluçando, sentou-se no sofá, não tão perto da moça, que de boca entreaberta cogitava o que dizer. *Faz alguma coisa, diz alguma coisa. Ela morreu, foi isso.*

— Eu sinto muito, eu vi como ela era boazinha — foi só o que saiu.
— Ãn? Não... — Abraão falou fungando o nariz. — Ela não morreu. Com licença — levantou-se e saiu, dessa vez corando de vergonha. Maria de Fátima ficou sem entender, e depois imaginou que fosse outra coisa. Lembrou da conversa que tiveram no carro, quando ele a trouxe para o apartamento. Abaixou a cabeça e pensou consigo, remoendo aquele pedido,

aquela proposta. Na época, aquilo parecia uma loucura, um absurdo. Primeiro não admitiu que o juiz lhe falasse a verdade, conformando-se com o convite. Para ela, ele escondia outra coisa, uma mais profunda, e perversa. Não se surpreenderia se indecências surgissem no decorrer da estadia. Estava pronta para sair ao primeiro e mínimo sinal de assédio da parte de Abraão. Mas o tempo correu, e corria, e nada. Ele tratava-a como uma filha, e Rute como uma neta.

Então Maria de Fátima se levantou, pegou Rutinha no colo, foi até a cozinha, onde avistou Abraão sentado à mesa. Imóvel, fraco, indefeso. Nem tentava, dessa vez, esconder a aflição, a tristeza. Óculos de lado, olhos inchados, vista travada para o nada.

— Vai levar tempo — disse Maria de Fátima.

Ele não respondeu nada. Ela então continuou:

— Eu gosto da Samanta. Mas é um gostar que a gente... É, não sei dizer. Só sei que não é assim, sabe?

Passou algum tempo para aquelas frases povoarem seu raciocínio, e então Abraão se deu conta de que sua crise, ali a frente de Maria de Fátima, talvez passasse a impressão errada.

— Não, não estou assim por conta da situação de Samanta.

— Não? E o que foi?

— Isso que é o pior. Não sei o que é.

Os gritos de Fernando Crespi faziam coro com outros no frio e cinza espaço da pediatria do hospital. A mãe, a jovem Leila, balançava-o tentando acalentá-lo. Queria ouvir o que a enfermeira lhe dizia.

— Não entendi.

— O doutor já vai atender — a enfermeira quase gritou.

Tudo começara muito antes daquela manhã. Há dias que o filho apresentava dificuldades para deglutir. Engasgava-se facilmente, não se sentava como antes e o pescoço pendia com facilidade para o lado, como se fosse cair do corpo. Alguns diagnósticos de "ouviu dizer" elencavam das mais horrendas doenças à simples falta de cálcio no sangue. Cada um falava uma coisa.

Leila abriu o Google, digitou "doença que deixa o pescoço da criança mole", e a pesquisa trouxe um monte de sites sobre hipotomia, meningite, AME, tipo 1, 2, 3, e por aí vai. Passou os olhos por cada um, e a cada resumo de leitura, que detalhava uma nova doença e seus sintomas, tudo ficava mais baralhado. As palavras das frases pareciam que mudavam de lugar, como num jogo de copo e bolinha, pulando dum canto para o outro. A mão que segurava o aparelho suava, enquanto a outra se ocupava de manter Fernando no colo.

— Senhora Leila, eu acho que seu filho tem algum tipo de AME.

O médico nem continuou a explicar o que era a doença, e Leila já entornava lágrimas por cima de lágrimas no rosto escuro e abatido.

— É preciso fazer alguns exames para saber qual o tipo de AME, e qual o tratamento adequado, mas eu acredito que infelizmente seja do tipo 1, até pela idade.

Leila ficou parada, olhando para os lábios do médico, que se mexiam para dizer as orientações sobre como proceder. Daí, do nada, ela lembrou que se esqueceu de estender as roupas no varal, enquanto lá fora fazia sol. As roupinhas do filho ficariam molhadas. Baixou os olhos ao menino, que agora dormia, ronronando com dificuldade. Os remédios de dor e febre amenizavam o sofrimento. *Talvez seja por isso que ele chora baixinho*, pensou, e pensou na doença. Pelo pouco que ouvira e lera na internet, seu filho estava condenado à morte. Iria morrer, e não tardaria, pelo contrário, iria morrer logo.

— Esse é o contato do dr. Marlon — encerrou o médico, encaminhando Fernando Crespi a um especialista.

Ao sair do consultório, ligou para Marcelo, que acabava de se despedir de Maria Duarte.

Existo há tempo suficiente para ter visto todos os tipos de moléstias surgidas em homens e mulheres. Confesso para você: a criatividade da biologia não tem páreo. E de todas, as de defeito de fábrica são a prova de que o deus que se diz todo-poderoso não é esse engenheiro da perfeição.

Bom, a atrofia muscular espinhal é uma doença genética degenerativa. Nasce-se com ela, assim como o pecado original. Cerca de 60% das crianças doentes vêm ao mundo com o tipo 1, o mais grave. Na verdade, existe outro de maior mortalidade, o tipo zero, que ceifa a vida do infante no primeiro mês. Por outro lado, os tipos 2, 3 e 4 são diagnosticados com o passar dos anos, e seus sintomas, embora nefastos, são leves em comparação. A doença é rara, e atinge um em cada dez mil bebês nascidos vivos. Para simplificá-la, bom que se façam analogias e revisões de aulas de genética da escola.

Por favor, não se aborreça, porque é essa a hora que pela primeira vez não falarei de leis.

A pessoa com síndrome de Down tem um cromossomo (X) a mais. Lembra dos cromossomos? No caso da AME, o problema não é excesso deles, mas o defeito nos genes que se encontram em posições iguais, que são os chamadas alelos, ou seja, locais dos genes em pares, e que por exemplo determinam as características físicas do indivíduo. Tentarei apelar: lembra dos exercícios de biologia para quem odiava matemática, as famosas combinações do ensino médio, e que se fazem com as letras Aa, AA, aa, Bb, BB, bb, para chegar à porcentagem e probabilidade de ser negro, branco, albino, ter cabelos loiros, pretos, castanhos, olhos verdes, azuis, castanhos, pretos... Pois bem, no caso da doença AME, ao invés de uma letra do alfabeto, tem-se o gene SMN1, sendo a letra maiúscula o SMN1 do bem, e a letra minúscula o do mal, o com defeito. Estima-se que uma em cada 37 pessoas, possua o gene do mal em pelo menos um dos pares. Lógico que se fossem nos dois, a pessoa teria a doença, como ocorreu com Fernando Crespi, porque ambos, sua mãe e seu pai, têm, cada um, um gene SMN1 do mal no seu par, e na combinação matemática, a criança herdou os dois dos pais. Daí que a triste conclusão é a de que todo bebê com AME teria 75% de chance de nascer saudável.

Fernando voltou para casa. Leila contou para Marcelo, e o casal passou a viver a maior expressão da tristeza. Os dias passavam, os meses, e nada melhorava, pelo contrário. Rapidamente viram os sintomas se agravarem. O par de genes SMN1 maléficos não produzia uma proteína essencial para formação dos nervos que ligariam sua medula aos seus musculozinhos. Então, suas coxinhas foram afinando, porque não recebiam estímulos nervosos, seus bracinhos também, tornando-se membros mortos pela imobilidade. Seu pescoço perdeu a força, e Fernando Crespi via seu mundo sempre de lado, mas não quando a mãe o colocava deitado, já que dessa posição ele só olhava para o teto. Ele, claro, não entendia por qual razão estava sempre cansado, como se fosse um cachorro galgo corredor ao fim de uma disputa, ou um cavalo árabe que acabara de atravessar um deserto. Tudo parecia lento, e respirar doía-lhe muito. Até engolir o leite gostoso era penoso, e isso quando sua epiglote não se confundia e mandava leite para seu pulmãozinho.

Os dias foram passando, e os médicos furaram o pescoço de Fernando, fazendo passar por sua traqueia um tubo, pois era necessária a ajuda da ventilação invasiva. E o garoto também não conseguia tossir, pois faltava-lhe a força para aquela escarrada medonha que adultos fazem, ou a tosse intermitente de crianças com gogo. E então sugavam-lhe o muco acumulado, para que ele, embora no seco do seu berço, não morresse afogado no próprio catarro, e porque as pleuras ou brônquios poderiam inflamar. Não demorou para problemas intestinais, cólicas, prisões de ventre que se revezavam com diarreias. Leila já não aguentava mais. Pediu demissão, e vivia a chorar pelos cantos, quando não estava com o filho para cima e para baixo nos hospitais. Após uma "via-crucis", recebeu do SUS as guias para inovar o tratamento com um remédio chamado nusinersena. Havia uma ínfima chance de o menino melhorar, mas o tratamento seria para o resto da vida, vida essa com expectativa diminuta; não se tinha notícias de alguém com mais de duas décadas. Para piorar, as aplicações do remédio eram feitas na capital, e precisavam se deslocar. Tentou vaquinhas para custos com o transporte, mas a alma havia deixado aquele corpo, e pedir ajuda era como pedir a Deus, e Leila desacreditou do poder dEle. Deixou a filha de lado, o marido, os amigos, os parentes. Vivia só para o filho doente. Pensou várias vezes em tirar a vida, primeiro a de Fernando Crespi, e depois a própria. Matá-lo traria alívio, e seu suicídio seria o castigo por amar daquela estranha forma. Mas esses pensamentos vieram e foram como um relâmpago, e logo deram lugar a outros. Outros de esperança. Esperança que lhe chegou através de uma ligação. Era o dr. Marlon.

— Leila, há um remédio que pode curar seu filho.

CAPÍTULO IX

— Por que você acha que foi sua culpa o que ocorreu com Juana? — dr. Molina perguntou.

— Não sei explicar, mas era algo que eu quase podia prever que aconteceria. Tudo apontava para algum momento de tensão ocasionado por aquele juiz moleque.

Abraão, na terceira consulta, falava com mais liberdade. Não hesitava em colocar para fora, em elaborar autocríticas verdadeiras, e percebia que todas as respostas já estavam guardadas em armários dentro de si, mas que só o analista parecia ter a chave de cada um, abrindo-os para que o próprio analisando as encontrasse.

— Ok, e o que poderia fazer com essa previsão? — Molina perguntou.

O juiz parou para elaborar uma resposta. Conversar com Kleiton, pedir para que ele não assediasse moralmente Juana? Isso poderia voltar-se contra Abraão. Indubitavelmente o substituto já se lançara numa cruzada contra o titular, e de qualquer meio sujo se utilizaria para ferir a todos que por seu caminho cruzassem. Falar com Juana? Mas alertá-la de quê? De que poderia ser, a qualquer momento, acossada por um imbecil, e isso por puro prazer do opressor? A copeira, à espera do assalto, viveria horas de horror. Terror nos corredores, na copa, nas salas, nos gabinetes.

— Realmente eu não sei como eu poderia impedir. Talvez nunca conseguisse.

— Então por qual motivo se culpa?

— Não sei, tenho dúvidas. Não sei...

Dr. Molina deu um forte suspiro. Achou que era melhor encerrar. Só Abraão poderia encontrar a fonte da culpa, que talvez fosse criação só sua. Um arrependimento difuso e vulgar de sabe-se lá o quê. Um remorso no subconsciente de algo que fez ou deixou de fazer há muito tempo, como não ter dado bom-dia a Juana, quando ela o tratava tão bem em todas as ocasiões, sem exceção. Sim, Abraão nem sempre foi esse santo que a copeira evangelizava. Não poucas vezes agiu frio, rude, grosso, não em razão do que Juana lhe poderia ter feito, mas por banalidades mundanas, causas da impaciência que transpirava pelos poros e atingiam inocentes como balas perdidas.

A semana começou com audiências criminais. Uma a cada dia.

Na primeira, o caso era de um carteiro que foi preso em flagrante por ter sido encontrada, num cômodo de sua casa, uma montanha de cartas e correspondências não entregues. Mauro Jorge estava trabalhando, entregando cartas, quando a esposa ligou, urgindo dele pressa para voltar para casa. Antes mesmo de chegar, avistou a viatura da polícia. Sua primeira reação foi de susto, um medo de que algo acometera sua família, esposa ou filhos pequenos. Desceu da moto e não tardou para ouvir de vizinhos que um homem furtando residências ficara preso no forro de sua casa. O alívio sucedeu só até o momento em que o tenente da guarnição perguntou sobre aquela quantidade de cartas entulhadas num dos quartos. Eram tantos envelopes que quase não se conseguia andar pelo espaço de dois por três metros. Os policiais, pisando com os coturnos de borracha, andavam sobre papel e plástico, quase meio metro acima do piso.

— Você recebe mais cartas do que a Xuxa recebia — disse um dos policiais.

Mauro Jorge não soube explicar a razão pela qual aqueles envelopes, naquela montanha, permaneciam inertes em sua casa. Depois de alguns contatos, ligações, orientações de superiores, o tenente levou Mauro Jorge para o departamento da polícia federal, pois o crime era contra os Correios.

— Está preso por crime contra o serviço postal previsto na lei dos serviços postais, no artigo — o tenente olhou no celular, e depois continuou — artigo 40, parágrafo primeiro, ou seja, sonegação ou destruição de correspondência.

Mauro Jorge saiu algemado, dividindo o espaço do camburão com o homem que pulou o muro para furtar sua casa.

— Um ladrão de casas, e um ladrão de cartas — pilheriou o policial que outrora fizera a referência à Xuxa.

Mas Mauro Jorge foi solto em pouco tempo, não passou sequer uma semana. Agora o carteiro estava ali, na frente de Abraão. Era quase um senhor para quem não conhecia sua idade, que estranhamente ainda não passava dos sessenta. Na verdade, faltava dois anos para completar as seis décadas.

— É o sol e a chuva, doutor. Nem ferro aguenta — disse com um sotaque interiorano, alisando o bigode, ao ser perguntado sobre a idade. A cara era descarnada. Não só a fronte da cabeça, mas o corpo todo. Nas têmporas, os sucos e fissuras dos pés de galinha, bem como as rugas da testa tinham a cor mais clara que o conjunto, ao menos diversa da pele queimada. A mesma coloração avermelhada e marrom existia nas suas mãos. E no pulso, onde possivelmente passou a vida usando um relógio, uma listra alva dava conta de sua cor biológica: branco. Tudo nele era enrugado. "Na firma até que dão protetor solar, mas parece que presta não", sempre dizia.

A audiência transcorreu normalmente, com oitiva de testemunhas, na maioria os policiais que acharam as cartas e, no final, o interrogatório de Mauro Jorge.

— Senhor Mauro, o senhor tem ciência da acusação do Ministério Público Federal?

— Tenho, mas não é verdade.

Abraão ficou sem entender. Olhou para o advogado do réu, que apenas fitava o cliente, como que a averiguar se o treino sairia como esperado.

— Pois bem, então o que ocorreu? — o juiz perguntou. — Você pode ficar em silêncio, como lhe expliquei, não haverá prejuízo.

— Não, doutor. Quero falar.
— Pois fale.
— As cartas estavam lá porque eu iria entregar depois.
— Como?
Nesse instante o procurador da República se empertigou na cadeira, entrando no meio da fala do réu.
— Isso é um absurdo! Além do mais, dá no mesmo, é crime.
— Não, doutor promotor. É crime não, porque juro que não ia sonegar nem destruir as cartas, eu ia sim entregar.
Abraão olhou para o advogado novamente. Um rapaz jovem, com óculos de armação leve. Em sereno silêncio, seguro da tese defensiva, segundo a qual o réu não cometeu o crime, uma vez que não tinha a intenção de sonegar ou destruir as cartas. Diz a lei que comete-se o crime quem "se apossa indevidamente de correspondência alheia, embora não fechada, para — atente-se — *sonegá-la ou destruí-la*, no todo ou em parte." Abracadabra! Se o sujeito não se apossou para sonegar ou destruir, não tem crime. O próprio Abraão depois ajeitou os seus óculos, e deixou que Mauro Jorge prosseguisse:
— Doutor juiz, eu trabalho na firma dos Correios tem 25 anos. Sol e chuva, vento, temporal, trovoada, a peste... desculpa. Mas é a verdade. A firma não dá condição nenhuma de trabalho, e de uns tempos para cá, tiraram minha moto, e me botaram para entregar na bicicleta. Se fala tanto em privatizar, mas já

tá privada faz é tempo. O senhor conhece a ladeira do óleo?

Abraão fez que sim com a cabeça, e sabia que o local era considerado um dos mais perigosos da cidade, onde o tráfico de drogas reinava com seus pontos de distribuição.

— Pois então. Eu subo e desço todo santo dia aquela ladeira. E tome perna. É carta para não acabar mais. O povo nas casas me azucrinava com tanta pressão. "Carteiro, 'fio' da peste, cadê minha fatura, preciso pagar para comprar uma roupa", diziam. Elas, porque a maioria é mulher, querem receber os cartões, as faturas, as contas de telefones. E isso eu entregava, tanto que nunca tive reclamação braba. Eu só deixei para entregar depois as cobranças, carta de SERASA, SPC, cobrança de FIES, envelope oferecendo coisas para as pessoas comprarem. Doutor, pobre é liso, mas não pode ver um papel de promoção deslizar por debaixo da porta que fica logo correndo doido querendo gastar o limite do cartão. Mas eu sofria mesmo era quando chegava tempo de eleição. Aí é que dava a boba para os políticos mandarem cartão de festa para pedir voto. Cada casa um envelope. Imagine aí quantas cartas não chegavam, metade do que estava na minha casa era desses pedidos de voto que esses ladrões mandam com o dinheiro do fundão eleitoral, certeza que é, e isso sei pelo que os colegas falam. Por isso guardei...

— Então você quer dizer que você ia entregar as cartas? — o procurador interrompeu e se interrompeu. — Depois de três anos? Tem carta de três anos.

— Doutor, por favor, vamos deixar o réu continuar.

— Mas, excelência, esse crime é formal, não tem esse dolo específico que a defesa está pretendendo arguir.

Abraão fez um gesto afirmativo, mas vago, concordando só para impedir o procurador de continuar na defesa de uma tese no meio da fala do réu. Era comum em todas as audiências, notadamente criminais, explodirem debates calorosos sobre teses e teorias, 90% importadas da Europa, Itália ou Alemanha, sobre dolo disso, dolo daquilo, teoria disso, teoria daquilo, crime formal, material, ambiental, até o ponto de se perguntar se os teóricos germânicos da dogmática penal não tem o que fazer, ou se eles não transam, para passar um século e meio inventando teorias de direito.

— Senhor Mauro Jorge — Abraão retomou o interrogatório —, eu entendo que o senhor está dizendo que iria entregar cartas. Mas como o procurador perguntou, foram encontradas correspondências de três anos atrás. Entregá-las depois desse tempo todo?

— Doutor juiz, antes tarde do que nunca.

Fez-se um silêncio sombrio.

— E o que pode fazer a gente pensar que o senhor ainda as entregaria?

— Eu ter guardado elas. Tão todas lá, nunca joguei fora, nem rasguei, nem toquei fogo, nem nada disso. Eu podia ter dado fim, enterrado igual se faz quando se mata um. Mas não, deixei num quarto da minha casa. E o doutor pode mandar ir lá no meu distrito e perguntar, todos vão dizer que sou o carteiro do povo.

Veja lá, todo mundo gosta de mim. Já pensei até em ser candidato a vereador.

— Tudo bem — disse Abraão, encerrando a audiência.

Antes de se levantar e se despedir, Mauro Jorge se dirigiu ao juiz.

— Doutor, eu sei que fiz algo que não deveria ter feito. Perdi meu emprego por isso. Mas garanto ao senhor que eu dei muito mais pra essa firma do que ela me deu de volta. Fui demitido por justa causa, perdi tudo. Disseram lá, "não recebe nem o décimo, só as férias vencidas e o restinho a receber". Uma mão na frente, outra atrás. Em casa, é dificuldade com mulher desempregada e filho também sem emprego, sem contar com a nora morando com a gente, dividindo a boia, e ainda buchuda, a barriga pela boca. Mas Deus é grande.

Deus é grande, pensou Abraão, deixando a sala de audiências com o coração tranquilo sobre como proceder com o carteiro do povo. Mal sabia ele o que a próxima audiência trazia.

CAPÍTULO X

— **M**as por que este remédio é tão caro? — perguntou Leila. Fernando Crespi, em seu colo, corria os olhos pela sala imponente do escritório de advocacia.

— São inúmeras as razões, uma delas é o dólar em alta — disse um homem metido num terno que custava mais que todo o guarda-roupa de Leila.

— Mas doze milhões de reais? Se essa ação judicial não der resultado, eu não vou conseguir nunca juntar tudo isso numa vaquinha — Leila ainda não conseguia entender. Era como se um milagre dependesse de outro: ganhar ou juntar doze milhões para pagar pelo remédio do filho.

— Eu sei — respondeu o advogado —, e é por isso que está aqui, no melhor escritório nesse tipo de causa. Nós temos escritórios em todo o mundo, inclusive em Nova York, e, acredite em mim, vamos conseguir o remédio.

Fernando Crespi, ainda admirado com aquelas janelas que mostravam o sol avermelhado no poente, sequer fazia ideia de que falavam sobre seu destino: sua vida valia doze milhões de reais.

Outra coisa que ele não sabia era que, há anos, homens sapientes trabalhavam dia e noite na busca de uma cura para as doenças raras. Esses homens, e algumas pouquíssimas mulheres, estavam a um degrau antes da divindade. Eram pesquisadores contratados por outros homens, velhos e brancos, que moravam nos EUA e na Europa, e que investiam mares de dinheiro em empresas para desenvolver, produzir, vender e distribuir remédios mundo afora. No caso das doenças raras, enfermidades da loteria, o processo para "descobrir" a cura era custoso e demorado, às vezes levando dez ou quinze anos, e sendo gastos mais de um bilhão (com "b" de bola) de dólares (com "d" de dado). Depois de tanto esforço e recurso, porque haveriam os velhos de seguirem uma boa ética, limitando os preços, e consequentemente a melhor parte: o lucro? Além do mais, é a lógica do livre-mercado, esse ser inanimado que tem uma mão-leve que ainda por cima é invisível. E, nesse caso, essa mão faz muito mal a criancinhas nascidas com doenças raras. A mão invisível do mercado não quer balançar o berço. Bom, paciência.

— Doze milhões — Leila repetiu. Olhava para o filho no colo. O pescocinho caindo de lado. Os olhos brilhavam. Os cabelinhos já começavam a fazer os primeiros caracóis. Doze milhões de razões para viver ao lado do filho até o dia da própria morte, porque nenhuma mãe deve enterrar um filho.

— Eu faço qualquer coisa pelo meu filho, qualquer coisa. A gente, doutor, dá até a vida, dou tudo que tenho, todo dinheiro, quanto mais assinar uns papéis.

Leila assinou a procuração que dava poderes aos advogados para ajuizarem a ação. Depois, deixou o prédio e voltou para o hotel. Tivera suas passagens e hospedagens pagas pelo escritório. Incrivelmente não cobraram nada de honorários, e a mãe se perguntou a razão, mas só por alguns segundos, pois ela não era santa para desconfiar de esmola em demasia. Era melhor só agradecer sem perguntar a receita do milagre. Talvez seja porque eles são bonzinhos. Ademais, levaram-na tão somente para mostrar-lhe competência, disciplina e com essas, a opulência da torre, o centro do poder, o lugar onde se discute o destino de nações.

Aqui no Brasil, Leila viajava no avião imaginando por que o SUS não dava o remédio ao seu filho. Era só uma dose, era só uma vez, e se o governo entregasse, muitas crianças que nascem assim poderiam ter uma vida normal. Qual a razão? Parou de pensar nisso. Pelo menos tentou. Olhou para o filho. Fernando Crespi sonhava. No sonho, homens passavam para lá e para cá, com pastas de couro, ternos escuros, gravatas coloridas e sapatos que brilhavam como estrelas. Mas ninguém via Fernando, que andava livre entre esses senhores importantes. Quem seriam? Os donos do mundo? Ah, para que saber? Sim, Fernando queria só correr, e rápido, como as crianças que ele via no parque. E no sonho ele podia correr também. Às vezes conseguia até voar, como agora voava no avião acima das nuvens. Mas uma hora ele caiu, e sentiu que se machucou. Procurou a mãe, e ela estava lá, como sempre estivera, para pegá-lo no braço.

Quando Leila chegou em sua cidade que, como já foi dito, era a mesma de Abraão, os advogados se preparavam para protocolar a ação. O processo teria de ser ajuizado no domicílio do autor, ou seja, na cidade onde Fernando Crespi morava. Ocorre que o destino é cheio de graça, e havia uma chance de 50% para cair na mão de Abraão ou na mão de Kleiton vilão. É assim porque o sistema de distribuição de ações na justiça federal se faz por sorteio. Muitos milagres, muitos.

Saiu o carteiro do povo, entrou o fazendeiro, dr. Brandão Júnior, que era filho de outro dr. Brandão, um juiz aposentado. Em fila indiana, homens entravam na sala de audiência que ficou pequena. Apenas duas mulheres, uma advogada que compunha a equipe da banca da defesa do dr. Júnior, outra que representava o Ministério Público.

O caso era uma denúncia de prática de crime de redução de pessoas à condição ou situação análoga a escravo. Não se espante, porque apesar de nesse país a Lei Áurea ter mais de cem anos, era possível que existissem pessoas escravizadas, numa nova espécie de escravidão. A cor não era mais o critério, mas sim a condição econômica, sempre pessoas pobres. Elas aceitavam toda e qualquer condição de trabalho, com longas jornadas, sem descanso, em situações de insalubridade, precariedade, e tudo em troca de salário achatado, insuficiente para as necessidades mais básicas. Nossa, às vezes eu sinto como se estivesse num palanque de comício. Por favor, não me leve a mal.

A audiência começou e debates ora amenos, ora fervilhantes salpicaram para todos os lados. A defesa era brilhantemente conduzida pela dra. Bianca, que, com exímia qualidade, utilizava-se da palavra, sozinha no mar de ternos e gravatas. Só não era mais conhecedora do caso do que dra. Mércia, que era a procuradora do Trabalho, e que havia liderado as investigações nas casas de farinha, e não é exagero falar que sofreu ameaças. O procurador da República, que ali conduzia a acusação, quase deixou de mão em favor da colega, passando a maior parte do tempo mudo.

— Dra. Bianca, há elementos em excesso de que seu cliente era o dono das terras, e por isso também das casas de farinha — disse dra. Mércia em classe e estilo.

— Ele é herdeiro, doutora, não tem culpa de o pai ter deixado terras em que os meeiros plantavam a mandioca — retornou dra. Bianca na mesma estirpe de comunicação.

A acusação tentava convencer o juiz de que Brandão Júnior, que era filho do dr. Brandão, controlava a produção de farinha na região, ou seja, induzia à plantação de meeiros em terras particulares suas. Seu pai, não havia dúvidas, fazia isso. Tanto que os meeiros tinham de lhe repassar metade da colheita, como era o caso de Madalena. A defesa afirmava que ele — o filho do juiz aposentado — apenas empacotava em sua fábrica, e comprava o produto natural, já descascado e moído, às casas de farinhas, que tinham seus próprios donos, e que não recebiam qualquer ordem ou subordinação do réu, o dr. Júnior, como era conhecido. Foram nessas casas, e por isso o crime de redução à situação análoga à escravidão, onde se acharam crianças de seis a dezesseis anos, trabalhando por longas dez horas diárias, sentadas em tamboretes, munidas de uma faca afiada que lhes servia ao preparo da mandioca. Sem água potável, bebendo do que carregavam do açude, mesmo local onde vacas e cavalos sorviam o líquido barrento e salobro. Sem contar que o banheiro era um buraco desprovido de sistema de encanação ou fossa séptica. Muitas crianças se cortavam, em talhos profundos nas mãos e dedos, que muitas vezes cicatrizavam ao relento, a custo de remédio caseiro com barbatimão, sal grosso, pedra hume, café, açúcar, enfim, tudo que estivesse ao alcance da mãe da criança, para fazer as vezes de gazes, pontos e anti-inflamatórios.

Abraão ficava espremido no meio do fogo cruzado, a despeito da educação com que todos se portavam até então. Foi quando Madalena fora chamada como testemunha. Abraão não a conhecia, mas ao primeiro sinal, viu na mulher a marca do sofrimento. Era a segunda vez que ela entrava naquela mesma sala. Na primeira, vira o juiz substituto, que a tratou com frieza e distância. Até aquele momento, seu processo ainda aguardava a solução de uma sentença, que o dr. Kleiton vilão adiava, talvez por esquecimento, talvez por pensar que era sempre bom ouvir um advogado pedir para simplesmente ganhar um "não" da decisão. Prazer? Talvez.

— A senhora tem a obrigação de falar a verdade, porque mentir em juízo é crime. Tudo bem? — Abraão fez a devida comunicação legal, e a mulher acenou com a cabeça, dizendo que sim, que falaria a verdade.

Então começou a falar, a responder as perguntas que lhe fazia o procurador da República e a procuradora do Trabalho. E com as respostas, lágrimas vinham à tona, pois era inevitável a lembrança. Memória essa que já se contou aqui, e que não se carece reiterar.

— Então seu filho faleceu no acidente — o procurador perguntou, e ela respondeu que sim, embora sem entrar em detalhes.

Encerraram-se as perguntas da acusação e a defesa tomou a palavra. Dra. Bianca fez perguntas sobre se ela já havia tratado alguma vez com o réu — e então apontou para o Brandão Júnior — e Madalena, com muito receio só de olhá-lo, disse que não, o que não deixava de ser verdade.

— Com quem a senhora tratava quando ia trabalhar nas casas de farinha?

— Com muitos homens, quase sempre mudava.

— Fale algum, se a senhora se lembrar.

— Tinha o Miguel, o João... — Madalena não queria falar nomes de outras pessoas. Embora ela soubesse o nome de cada um, fingiu que não lembrava, não para protegê-los, mas com medo do que dali pudesse sair. Alcaguete seria no mínimo um dos nomes que ela receberia quando voltasse para o sítio, e suas coisas já estariam do lado de fora. Então, falou nomes de pessoas que eram velhas demais, ou já haviam falecido.

A dra. Bianca se deu por satisfeita, e um advogado, novo e agitado, pediu a palavra. Queria, de alguma forma, voltar à questão do acidente:

— Dona Madalena, a senhora falou que seu filho morreu em um acidente no carroção que levava mandioca. Mas não achamos nenhum boletim de ocorrência nesse sentido, não há nos autos nenhum documento da polícia, ou mesmo da fiscalização do trabalho, afirmando que houve ali, naquele dia, um acidente. Como a senhora pode provar o que está falando?

— A testemunha não tem obrigação de responder — saltou de lá a procuradora do Trabalho. — Isso é desumano, nós temos a certidão de óbito, a causa da morte.

— Doutor — Abraão se voltou para o jovem advogado — o senhor quer transferir para a testemunha o ônus da acusação. Quem tem que provar é o Ministério Público, a dona Madalena está aqui sob compromisso de dizer a verdade, é o que basta.

— Mas, Excelência, o depoimento pode configurar uma calúnia ao meu cliente, já que ela diz indiretamente que o filho morreu por conta de um acidente, um ato imprudente, e atribuído ao senhor Brandão Júnior.

Houve um tumulto, e a voz de Madalena, depois de duas tentativas de chamar a atenção, foi ouvida.

— Eu falo, seu doutor. Eu falo.

Fizeram silêncio, e ela começou.

— Meu Carlinhos era assim como o senhor, um menino bonito. Ele gostava de andar arrumado, e estava "ajuntando" dinheiro para comprar um sapato. Nisso, a sandália dele, já muito velha e desgastada, quase não servia para o uso. No dia do acidente, ele perdeu um pé. Quando caiu, apenas um pé estava com a sandália. Eu não tenho documento, seu doutor, mas tenho uma lembrança que preferia nunca ter tido. A gente precisava trabalhar, e no dia seguinte ao enterro fomos para a casa de farinha. Carlinhos quase não havia esfriado no caixão, e eu já estava no banquinho, de "coca" e descascando mandioca com aquela mesma agilidade de sempre. Na nossa frente ficava uma tulha de maniva, e a gente ia lá no monte, catava uma braçada, e trazia para perto, para não dá muitas idas. Numa das braçadas, no meio das mandiocas cheias de terras... — Madalena começou a chorar. — ... Lá no meio, escondidinha, eu vi a outra sandália do meu Carlinhos.

CAPÍTULO XI

Maria Duarte não fazia questão de cuidar bem do veículo. Não seguiu às instruções e logo obrigou-se a voltar à oficina. No caminho, a cabeça se ocupava de duas coisas: chegar ao destino sem precisar do guincho, e a reunião que a filha, Samanta, lhe requereu. Há dias que o apartamento parecia um pouco colorido demais para os gostos ortodoxos de Maria Duarte. *Que será que estão aprontando essas duas, aliás, essas três, porque certamente a pequenininha tem contribuído para isso*, remoía.

Ao chegar à concessionária, pois não foi necessário reboque, foi recebida por outro mecânico que não Marcelo. Isso a deixou logo melindrada, e deu suas razões: o antigo funcionário, o rapaz sorridente, era o mais adequado por já entender os problemas do carro, e esse novo, que apesar de sabedor do defeito, quase não lhe deu bom-dia. Depois de explicar, ela perguntou:

— Onde está o outro?

— Está em outro setor.

— Mas qual? Eu quero falar com ele — exigiu Maria Duarte.

O novato saiu, e não tardou para Marcelo surgir no galpão, vindo entre o contraste e brilho da luz que batia a suas costas.

— Bom dia, dona Maria.

Era outro Marcelo. O sorriso veio mais por obrigação do ofício do que pela espontaneidade da felicidade que era natural. Não estava bem, todos notavam, e sabiam a razão. Mas Maria Duarte não. Ele a atendeu muito bem. Explicou tudo com paciência, refez as recomendações, incluindo novas. Ao final desejou novamente bom-dia, e baixou a cabeça para evitar que ela visse o rosto triste.

— O que há? Você não é assim.

— Não é nada sério.

— Certamente é. Não consigo imaginar algo que não seja sério para tirar de você aquele sorriso, aquelas poesias, e tudo mais. O que ocorreu?

Então Marcelo contou. Falou sobre o filho doente, sobre a dificuldade que era manter o emprego e ao mesmo tempo ajudar a esposa, além do luto antecipado que se instaurou em sua casa. Discorreu também sobre a viagem de Leila, sobre o remédio de uma única dose, o valor de doze milhões de reais, os advogados de um dos maiores escritórios do Brasil, e da ação que eles ajuizaram, e perderam.

— Nossa, mas já acabou, perdeu a ação? — Maria Duarte abriu-se em espanto. Marcelo explicou como podia e entendia. Na verdade, apenas um pedido de liminar foi negado. Ao perguntar quem teria negado a liminar, Marcelo reproduziu o nome do juiz substituto, ao que Maria Duarte logo reconheceu de quem se tratava.

— Mas porque ele negou?

— Não sei bem. Os advogados falaram que a decisão diz apenas que o SUS não entrega, e que o preço é alto demais. Que se o juiz mandasse pagar, ia faltar dipirona para milhões de pessoas.

Esse era o argumento: diziam por aí as planilhas de analistas que, de 2007 a 2018, o Estado pagou R$ 5,2 bilhões com remédios através de ações na justiça, e R$ 1,3 bilhão só em 2018. Daí os especialistas em contas públicas ressaltavam: com esse custo bilionário por ano, milhares de pessoas deixariam de ser assistidas para benefício de apenas uma, apenas uma pessoa, quando do outro lado da balança havia milhões que poderiam se beneficiar com o adequado controle da pressão arterial, diabetes, cardiopatias etc.

— Eu sinto muito — foi só o que falou Maria Duarte.

Mais que isso não falou a Marcelo, nem mesmo que seu marido era juiz federal. Simplesmente ofereceu sua palavra de conforto, fundada na fé e na perseverança. Ao contrário de Abraão, Maria Duarte sabia tratar com as coisas no exato e adequado momento, sem adiantar palavras, sem fazer promessas, sem sequer demonstrar que tinha total controle da situação, quando realmente o possuía. Despediu-se de Marcelo, agradecendo mais uma vez.

Agora voltava para casa com duas coisas: a filha e o menino de Marcelo. Como não conhecia os meios pelos quais seu marido pudesse interferir na sorte de Fernando Crespi, concentrou-se apenas num dos assuntos: a reunião com Samanta.

Abraão aparava com as mãos em concha a água que descia sem cessar da torneira da pia do seu gabinete. A lembrança da fala de Madalena o travava naquela posição. Afastou a memória e jogou a água no rosto. Levantou a cabeça para se olhar no espelho, e não se reconheceu. Via um homem diferente, tomado por uma fúria inexplicável. Pensou novamente na pobre Madalena, na filha Samanta, em Maria de Fátima e até em Rutinha, tão nova, e já nascida em meio à falta de tudo. Pensou, por fim, em Juana, que ainda se recuperava em casa. Por que só mulheres? Por quê? Todas cercadas pelo hálito degradante de um mundo ruim que ele, sim, ele, Abraão, contribuiu para formar. Seu peito ardia, suas mãos tremiam, seu coração batia no pescoço. Passou pela cabeça serem aqueles seus últimos momentos, mas no fundo sabia que não eram. Não, absolutamente não eram. Nascia um mal que tinha o bem como causa.

Fazia tempo que não via um juiz sofrer tanto da dor do espírito. Só aqueles que morreriam no dia seguinte se sentiam tão aflitos a ponto de quase sangrar pelos poros. Aliás, houve um que não tive prazer nenhum em vê-lo pregado numa cruz. E olhe que Ele era magistrado, e nunca dizia que era, e nem usava a carteirinha.

Abraão, olhando para o espelho, viu a si como perdido, e aceitou o destino.

Crise... Nova e forte crise de ansiedade, transmutada em pânico, cuja vontade era de quebrar tudo, destruir tudo, reduzir tudo a estilhaços, pequenos cacos: espelho, pia, mesa, cadeiras, janelas, estantes, livros, computador, tudo! Parecia-lhe a única forma de fazer parar o frio e o calor que se revezavam nas suas entranhas. Abriu a blusa de botão, quase os arrancando. A gravata já estava folgada. Os advogados, os procuradores, o réu, todos o aguardavam, e já passara mais de quinze minutos desde que ele pediu licença. Ouvira todas as testemunhas, mas nenhuma delas, nenhum dos relatos foi mais perfurante que o de Madalena. Arquejava o peito. Rosto molhado. Lembrou do interrogatório do réu, o tal dr. Brandão Júnior... "Sou só um homem de negócios, excelência...", "O rapaz teve a cabeça explodida", falou outra testemunha, "Dr. Júnior nunca nem pisou nas terras que herdou do pai", outra falou. "Encontramos crianças subnutridas, com vermes, quase todas com esquistossomose", a testemunha assistente social completou. "Um menino perdeu a mão na forrageira", "uma mulher teve menino no caminho pro hospital, a criança morreu na carroceria do carro", "um velho morreu de uma febre depois de cortar uma tonelada de maniva".

Abraão vertia lágrimas odientas, gritos sufocando sua garganta saiam-lhe pelos olhos, lacrimando seu rosto já molhado. Deu-se conta de que faltava toalha, ou papel toalha, e então tirou a blusa e enxugou-se com ela própria. Estava desnudo da cintura para cima, vendo-se no espelho mais uma vez, talvez a enésima. O corpo carcomido, magro, sombrio, envolto de pelos aqui e ali já esbranquiçados. Apesar de magro seu abdômen protuberante. A memória das fotos das crianças o atacou de imediato: barrigas d'água, vestidas em trapos e andrajos, pés no chão, mudas, unhas sujas, rosto coberto por uma nata de poeira e suor. Apertou tanto os dentes com a mandíbula que quebraria se não fosse a mensagem no celular que tocou às suas costas. *Estão me esperando*, pensou, e se voltou ao aparelho. Então estranhou algo. Era uma mensagem da empresa de limpeza e copa. Abriu.

"Dr. Abraão, aqui é o Ronaldo. Estou mandando esta mensagem para informar que estamos desvinculando a colaborada Juana da unidade do senhor, como foi requerido pelo juiz dr. Kleiton. Devo mandar uma lista de novas copeiras?"

Abraão empalideceu. Largou o telefone, que caiu no chão em câmera lenta, só não quebrou porque a queda não foi de tanto impacto assim. Deu dois passos para trás. Virou ao redor e viu a sala girando rápido com ele no centro. Cerrou os punhos na blusa molhada, torcendo-a com tanta força que era possível ver o vermelho subindo e manchando seu pescoço, tomando-lhe a face inteira. Olhou para a porta e saiu. Enquanto deixava seu gabinete, vestiu um braço da blusa. Passou pelo corredor, vestiu outro braço. Atravessou a sala de assessores, abotoou alguns botões. Todos o olharam espantados. Era como se ele acabasse de sair do closet do quarto. Sem bater, tentou entrar no gabinete de Kleiton. A porta trancada, mas o juiz substituto estava lá. Bateu duas vezes com a mão aberta, fortes pancadas. Demorou um pouco, e quando ele ia soltar dois socos, a porta se abriu. Abraão entrou e Kleiton, surpreso com a abordagem, deu dois passos para trás. Segurava dois livros.

— O que você fez? — Abraão perguntou rangendo os dentes, fechando atrás a porta.

— Do que está falando?

— Onde há nos regulamentos que você pode dispensar os funcionários da empresa de limpeza?

— Ah, fala da copeira. Acredito que será para o bem da pobre mulher — Kleiton vilão, dando conta do que tratava Abraão, falou com calma e livre do susto. Ao mesmo tempo, virou-se para sua estante de livros. Era um bonito móvel de madeira, que cobria todo um lado da parede, com suas prateleiras que chegavam ao teto. Muitos e muitos livros, e alguns, os colocados lá em cima na primeira fileira, exigiam que Kleiton subisse numa escada de alumínio de mais de um metro, já armada e posta entre a estante e a imponente mesa do birô. Ele subiu com cuidado, pisando nos degraus, um por um, até o terceiro. Segurava dois livros.

— Você sabe que não podia ter feito isso. Fez para me afrontar — Abraão resmungou por resmungar. A verdade era que a situação poderia ser facilmente revertida, e a dispensa de Juana por Kleiton era realmente mais uma forma de pirraça para desestabilizar Abraão.

— Talvez — o juiz substituto falou lá do alto, enquanto admirava um livro de Pontes de Miranda, antes de colocá-lo no devido lugar, na ordem da coleção de sessenta volumes do *Tratado de Direito Privado*. Suspenso no ar, com pés firmes na escada, abriu o livro, e pensou em si mesmo, em como era tão novo, tão jovem, e como poderia ter tempo para chegar tão longe e tão alto. Seu único desgosto quanto à idade era ter que esperar até 35 para se tornar desembargador. Daí lembrou da copeira, uma senhora despojada, relegada ao ostracismo social, que já nasceu pobre e nem noutra vida, pois o hinduísmo grassava em outro continente, teria chance de ascensão de classe. Então, achando pouco ter dito o "talvez", porque realmente talvez fosse a sua intenção ferir Abraão, ainda completou, sem sequer olhá-lo:

— Não é bom arriscar que um café ruim mate a pobre Juana da próxima vez.

"Faça!", sussurrei no ouvido dele. Abraão deu um passo, e chutou a escada.

Kleiton, que jamais imaginava tal atitude de Abraão, e que nem chegou a vê-la, reparou o mundo girar, como se o piso onde se sustentava seu corpo fosse lançado para o ar, fazendo o espaço e tempo rodopiar junto. Segurando o livro, e absolutamente desprevenido, não teve a reação necessária de levar as mãos a qualquer apoio. A escada chutada para frente lançou-o para trás, e o tempo deu a Kleiton o prazer de apreciar uma queda livre, de costas, a ver o teto ficando mais longe e menor. Despencou um metro e meio, bateu com a cabeça no birô, e caiu inconsciente.

Ao barulho do baque, sucedeu um silêncio cortado por buzinas lá fora.

Abraão, viu-o deitado e desfalecido. Ainda não se dava conta do que acabara de fazer. O som da pancada chamou a atenção, e no breu sonoro que se fez depois, Abraão podia ouvir o próprio coração, não o tum-tum de uma onomatopeia, mas o som de uma bolsa de líquido se movendo, tal qual se ouve numa ultrassonografia de neonatal. Alguns segundos se passaram. Caiu a ficha! *Matei ele*, pensou. Rapidamente olhou para as paredes, à procura de câmeras. Não havia. Não havia câmeras em gabinetes de juízes. Esse santuário era mais sagrado do que a Arca da Aliança, e ninguém tinha a permissão de olhar lá dentro sem que com a vida pagasse.

Abraão! Ele mesmo deu-lhe um grito imaginário. Sacudiu-se. Então andou de ré, bateu as costas na porta. Virou-se para o trinco, abriu por dentro, e saindo, deu de cara com os servidores que, assustados, já aguardavam aboletados no corredor.

— Ele caiu da escada. Chamem a ambulância — falou com nítida tremulidade na voz, e seguiu para a sala de audiência. No caminho, pensou no que fizera, como fizera, matou uma pessoa, matou uma pessoa, matou um jovem, perdeu a cabeça, perdeu, perdera, e agora, o que fazer?

Eu de cá explodia de rir.

Vou ser preso? Vou! E depois? E depois, e depois estarei fodido! Mas já que é para se foder, vou foder todos! E ninguém viu, nem ele viu. E talvez ele não tenha morrido. Não há necessidade de confessar. Não, realmente não há. Maldito filha da puta, teve o que mereceu, é isso. Teve o que mereceu, todas essas frases passaram indo e vindo na sua cabeça até o exato instante que irrompeu na sala de audiência.

Todos estavam impacientes, e logo se ajeitaram. Faltava apenas a decisão final sobre os procedimentos formais de um fim de audiência criminal, algo que de forma alguma tomaria mais que os vinte minutos que Abraão levou quando saiu. Ao sentar-se, elevou os olhos para o réu Brandão Júnior, e disse:

— Senhor Brandão, o senhor está preso.

CAPÍTULO XII

— Você está prestando atenção no que estou falando? — Maria Duarte interrogava Abraão procurando nos olhos do marido a certeza da resposta.

— Sim, estou — mentiu afastando o olhar, porque não estava dando atenção alguma. Embora o corpo repousasse em pé, a cabeça rodopiava desde aquele fatídico momento em que, num átimo, chutou a escada como se chuta o balde. O juiz substituto não morreu. Estava no hospital, recebendo os primeiros atendimentos. Mas a concussão era grave, e não se sabia ainda a extensão dos danos.

— Sua filha, sua filha e essa amiga que você trouxe para cá, as duas, sim, as duas, decidiram morar juntas. Vão viver juntas…

Abraão, então, se esforçou para calibrar a atenção ao que lhe falava a esposa. As palavras, frases, orações, chegaram aos ouvidos como uma música atonal. Corriam o espaço entre ele e Maria Duarte, entravam-no pelos ouvidos, vibrações de ondas que lhes tocavam os tímpanos, e daí enviavam as informações para seu cérebro.

— Elas estão namorando? — ele perguntou com curiosidade, enfim.

— Presumo que sim! — a esposa exclamou.

— Ah, ok. Tudo bem.

— Tudo bem? O que aconteceu com você? Desde que chegou está aí, parado, segurando essa mala.

Abraão, ainda parado na porta do apartamento, tudo explicou, sonegando o fato de que o acidente fora provocado por ele mesmo. Maria Duarte então reconheceu a causa do atonismo, e nem chegou a pensar que a novidade do namoro entre Maria de Fátima e Samanta não fosse tão novidade assim para ele. Não era. Aliás, foi obra dele, que, extraindo de um lugar desconhecido no seu íntimo, pensou que nenhuma outra pessoa pudesse ser melhor, reunindo em si as melhores qualidades, para fazer sua filha feliz. Se eram as duas do mesmo sexo, ele nem ligou para isso.

Então, vendo Rutinha e Maria de Fátima, a colega que um dia foi de Samanta a melhor amiga, pensou que dessa vez pudessem ser mais que amigas. E no caminho para o apartamento, no mesmo dia que acolheu a moça sem-teto e sem-ninguém, pediu apenas uma coisa: "queria que você e Samanta fossem mais que amigas". O pedido saiu à fórceps. Restavam exatos vinte minutos de percurso do fórum à sua casa, para em algum momento externar sua intenção. Mas lá pelo meio, enfim, falou. Maria de Fátima quase pediu para parar o carro e descer. O espanto se fez com a palidez no rosto. Apertou a filha no colo, achou e pensou coisa horríveis sobre Abraão. Mas ele soube acalmá-la, contando tudo, contando a verdade. Para ele, era sua culpa que a filha tivesse se apaixonado por um homem imprestável, ruim, malvado, que a espancava, e ele, pai, sabia e não fez nada quando pôde. Pelo contrário, empurrou para frente, adiou a resolução, e agora sofria corroído pelo remorso. Aquele pedido era uma atitude desesperada, de um pai que amava a filha, amava mais que tudo, a despeito de não saber dizer isso a ela, nem com palavras, nem com ações. Maria de Fátima concordou, disse que ia tentar, não garantiu nada. Explicou que relações amorosas não surgem assim, nem mesmo quando acontecem com pessoas de sexo diferente. A amizade com Samanta, de tempos atrás, talvez não fosse suficiente, e mesmo assim, não fazia ideia de como sequer iniciar uma aproximação. Abraão concordou, não havia o que perder, e só pediu segredo.

Incrivelmente a estratégia deu certo. Presumimos nós que seja também sorte nossa, porque contamos boas histórias onde nem tudo dá errado. Mas não foi fácil. Na solidão da ausência do ex-marido afastado por ordem judicial, Samanta ficou à mercê das memórias boas. Sempre existem essas. Jair soube envolvê-la num jogo perverso de sedução, humilhação, alegria, medo, prazer, ódio, tudo a desembocar numa redução da dignidade, da autonomia da moça, a fazer a própria Samanta tornar-se objeto de si mesma. Para Jair, a bebida era sempre a culpada de tudo, e o amor que ele dizia ter era sempre a solução para o último desatino familiar. Samanta tornou-se, assim, totalmente dependente da imagem do bom homem que lutava diariamente contra seus demônios, sonhando e acreditando que havia um bom Jair, um Jair carinhoso, que logo revertia as lágrimas de uma briga em beijos calorosos e pedidos de perdão, grudando no corpo a corpo, gerando o calor que só em tempos juvenis

Samanta lembrava ter sentido. E sem que se desse conta, o marido já estava a despindo de toda roupa, se apossando de sua carne, dizendo que a amava, que viveriam para sempre, e seriam felizes, e teriam filhos, e ela, só ela, era a mulher de sua vida. Pobre da cabeça de Samanta, que viveu isso por tanto tempo e não se via sem Jair. Foi aí que Maria de Fátima chegou, no mesmo apartamento, uma embaixada latina em que Samanta estava asilada, refugiada, protegida do monstro que quebrou seu nariz. Duas mulheres, aliás, duas moças, moídas pelos sistemas, cada uma à sua maneira, e ambas sob as asas desse pai que agora queria que entre elas surgisse uma nova espécie de amor. Surgiu.

Samanta não sabia até que ponto o gênero de alguém poderia justificar em si a vontade de beijar, fazer carinho, se deitar de conchinha, de fazer amor e de amar. Depois de Maria de Fátima que essa justificativa sumiu-se de vez. Um dia, ela mesma perguntou à amiga de tempos, e ouviu como resposta que *não há motivo*. Não há justificativa. Maria de Fátima disse que sexo é só um conjunto de órgãos biológicos, de genes, de combinações de DNA, moléculas, átomos, química e física que dão forma numa ordem. O amor é tudo menos isso; não tem pé nem cabeça, porque não tem forma: amor é amorfo. As duas riram da capacidade poética de Maria de Fátima, e Samanta, que sabia que a mãe era católica fervorosa, agradeceu por viver no século XXI.

Às 23h, o telefone do apartamento tocou.

O diretor da vara primeiro pediu desculpas por ligar tarde da noite. Também justificou que a ligação para o fixo se deu pelo fato de que as tentativas para o celular de Abraão restavam todas infrutíferas. Não havia como ser diferente, pois o aparelho móvel permaneceu propositalmente desligado desde que o juiz deixara o fórum. Saiu de lá só com a ciência de que o "acidente" não foi fatal. Então se desconectou do mundo. Sentiu, longe de tudo e todos, até um leve prazer, recordando nostalgicamente semelhante experiência somente em sua meninice, pois nada e ninguém, a não ser o medo da morte da mãe, retirava-lhe a paz de viver feliz a caçar borboletas nos bosques.

— Doutor, são os habeas corpus que entraram no tribunal para soltar o réu Brandão Júnior. Chegaram hoje mesmo os ofícios para pedir informações.

Isso era uma formalidade do processo penal. Quando alguém era preso por um juiz de primeira instância, ele recorria com um habeas corpus para o tribunal. Antes de um desembargador soltar o preso, era comum que se pedisse informações ao juiz que mandou prender, mandando um ofício, uma espécie de carta, mensagem. Claro que o tribunal não iria ficar esperando Abraão responder, mas a ausência dele poderia causar uma confissão implícita de que o juiz não estava nem aí, o que nem sempre era verdade.

— Eu vou assinar daqui de casa — falou Abraão, desligando e indo para o computador do seu escritório. Lá, sentou, abriu o sistema e assinou digitalmente a resposta. Pronto! Agora voltaria para a cama. Antes de se levantar da cadeira, religou o celular, e foi olhar no grupo da vara. Então logo notou a loucura de mensagens, vídeos e fotos sobre o fato de a Rússia ter invadido a Ucrânia. Era só o que se falava. Ninguém, pelo menos no grupo dos juízes, chegou a mencionar o acidente com Kleiton. E entre as mensagens, Abraão viu vídeos de pessoas desabrigadas, refugiadas, pessoas que perderam tudo, que deixaram tudo para trás, milhares e milhares. E as opiniões pulavam de um lado para o outro, uns condenando os EUA, a OTAN, União Europeia, Putin, China, e isso parecia assunto de que todos agora eram experts. Imagens de pessoas carregando o que podiam, e algumas só a roupa do corpo. E Abraão lembrou que sua família, seus avós, que eram judeus, vieram para o Brasil antes do início da Segunda Guerra Mundial, conseguindo um visto falsificado de turista no consulado brasileiro em Hamburgo. "As leis proibiam vistos permanentes para judeus, mas alguém passou por cima delas", lembrou de sua vó afirmando.

— As leis proíbem, mas alguém passa por cima.

Então Abraão abriu a pasta virtual dos processos que estavam para serem julgados. Fez uma pesquisa naqueles em que mulheres eram as partes autoras, e que pediam benefícios previdenciários contra o INSS. Achou uma centena. Abriu alguns e olhou rapidamente umas fotos e documentos aqui e ali. Muitas Marias, a maioria negra e pobre, necessitadas, certamente com fome e sem nada. Elas pediam pensão por morte, aposentadoria por invalidez, auxílio-doença, aposentadoria por idade e por ter trabalhado na roça. Começou a fazer anotações, a esboçar uma minuta que seria bem genérica. Uma espécie de modelão que serviria como sentença para quase todo caso, e onde Abraão, como juiz, afirmava que se convencia da veracidade das alegações por causa da prova tal e tal, e por conta do depoimento da testemunha A ou B, que falou na audiência assim assado, e, portanto, a parte autora tinha esse e aquele direito, terminando dizendo "defiro, julgo procedente". E aí ele começou a jogar esse modelo em todos os processos, absolutamente todos, pois o sistema permitia que se julgasse em lotes, isso é, que uma sentença só, como um trabalho de escola em que os alunos mudam só o nome, fosse assinada para muitas pessoas. Está espantado? Mas se não fosse assim, era impossível julgar tudo. Tome um número de um ministro que julgou dez milheiros de processos em 2020. Convide a aritmética para dividir: dava 27 processos por dia, todo dia, 24 por 7, janeiro a janeiro. Se um processo tivesse uma centena de laudas, o ministro teria de ler um romance de Proust por dia. Não dava, não é? Bem, era aqui que o sistema se transformava numa máquina de moer processos e, por tabela, pessoas, pois processos são feitos de Marias e de Joões. Muitos e muitos autos. Processo e mosquito era o que não faltava no Brasil (não sei se ainda é assim).

Abraão então julgou cem processos procedentes, isso tudo de uma tacada, e nem leu as contestações, nem viu documentos, nem viu os vídeos das audiências que ficam gravados, fez tudo só com base no gênero. Era mulher e pedia aposentadoria, ou benefício, ele deu, concedeu tudo. Enquanto fazia, ria por dentro, porque pensava consigo *ninguém vai saber*. Era verdade, como iriam saber, como iriam entrar no seu escritório, em sua casa, e ver que o procedimento fora feito em total violação de todas as regras processuais para efeitos de julgamento? Só ali, Abraão rasgou no mínimo uma dúzia de regras do Código de Processo Civil. E ele ria, abria o sorriso na frente do computador, cujo monitor clareava seu rosto e se refletia em seus óculos no escuro do local. Sentiu-se como um Robin dos Bosques, um Robin Hood que estava tirando dos ricos para dar para os pobres.

E sabe de uma coisa, eu comecei a rir também. Sabe quando você ri porque vê outra pessoa rindo e não por causa da piada? Isso, foi isso que me aconteceu. Era engraçado ver o juiz como uma criança levada, fazendo algo escondido, sabidamente errado. Eu jamais deveria pactuar com isso, minha natureza me mandava fazer o contrário, me preparar para arrancar a cabeça dele. Mas ao invés de ter raiva, passei a rir, gargalhar alto, eu e Abraão.

— Eu sou o Robin Hood!

Mas não era bem dos ricos que ele tirava, era do INSS; era de um caixa público, de um cofre público, que por sua vez era alimentado por tributos, impostos, contribuições, taxas; essas retiradas de todos, mas mais dos pobres do que dos ricos. E Abraão se deu conta, e se entristeceu no mesmo instante. Então teve outra ideia. Abriu as pastas virtuais de processos, escolheu como parte ré grandes empresas e corporações, e selecionou as que estavam sendo processadas por sonegação de impostos. Então fez um modelo de sentença condenando todas, e ao mesmo tempo bloqueando os valores sonegados em todas as contas-correntes dos sócios e acionistas.

Maria Duarte ouviu do quarto as gargalhadas do marido, que pareceu, dessa vez, ter enlouquecido de vez. E se ela pudesse me ouvir, ouviria dois.

CAPÍTULO XIII

As coisas não melhoraram para Abraão. Pelo contrário. Kleiton recebeu uma licença médica e o juiz titular ficou encarregado de todos os processos. Absolutamente todos na vara. Não que o excesso fosse o problema. Pelo contrário, a quantidade de processos o fez mergulhar, por vontade própria, ainda mais no vórtice do furacão emocional em que se entregara, e ao qual permanecia preso.

O juiz titular começou a mudar muitas coisas, orientando os assessores a elaborarem minutas de procedência nos processos de pessoas pobres, principalmente mulheres e crianças. Eram causas que, pela lei, findariam tragicamente para os autores, por serem absurdas, como a de uma mulher que, sem advogado, pediu uma aposentadoria, mas não apresentou documento nenhum, pois alegou que uma enchente deu fim em tudo. E o pior não foi o despojo da existência documental, mas perder também as informações como o número do CPF, ou seja, a numeração do Cadastro de Pessoa Física, o que, com sua data de aniversário e nome, poderia facilitar a emissão de segunda via, ou acesso aos dados trabalhistas que porventura existissem nos cadastros públicos. Mas a mulher tinha passado a vida trabalhando na roça, e nunca tivera vínculo com empresa nenhuma, de modo que agora era uma total indigente, sem ter onde morar, pois a enchente do rio levou também seu barraco. O sindicato rural, que também poderia ajudá-la, fechou várias instalações por falta de verba, e um sem número de formulários foram extraviados em mudanças. Abraão ouviu a mulher na audiência e sentenciou ali mesmo, condenando o INSS a implantar a aposentadoria em 24 horas, e impondo ao órgão do Governo uma multa de um salário-mínimo para cada dia de atraso na liberação do benefício. Determinou que a Receita Federal providenciasse imediatamente um novo número de CPF e que a Secretaria de Segurança Pública também emitisse um outro registro de identidade, além do que encaminhou para a defensoria a senhora, que se desfazia em lágrimas, soluçando na mesa da audiência. O procurador do INSS, de posse da razão fundada na lei processual, já que a sentença violava o código de processo, e com fúria incomum, brandiu no ar uma Constituição em edição de bolso, pequena, parecida com uma bíblia, e disse que o juiz violava o devido processo legal do artigo quinto, vilipendiando o patrimônio do INSS, sem dar direito de defesa, em vista da velocidade da sentença e da violência para pagar em tão diminuto tempo. Abraão sugeriu ao procurador recorrer. Foi aí que o advogado do INSS perguntou:

— Como? Se a sentença mandou dar o benefício no prazo de 24 horas, e eu só tenho esse tempo para fazer um recurso?!

E Abraão, após olhar para o próprio relógio, respondeu:

— Não, agora o senhor tem 23 horas e alguns minutos.

Os servidores estavam cada vez mais assustados, porque Abraão passou a perder mais facilmente a paciência com procuradores, advogados, e até com funcionários que contestavam a forma como ele queria resolver tudo. Começou a ficar mais autoritário, mais ignorante, mais frio, mais áspero nas audiências. Chegou ao ponto de não permitir que acordos fossem feitos, salvo se o réu pagasse quase tudo, com juros e correção.

— Eu não vou permitir que o Estado deixe de pagar os juros, vocês — apontou para os advogados — que têm títulos públicos não dispensam seus juros, dispensam? Hein?

Ninguém respondeu nada, enquanto olhavam uns para os outros, e baixavam a cabeça.

— Respondam! — Abraão gritou, socando a mesa, estremecendo tudo, e também uma advogada novata na profissão, que acabava de fazer sua primeira audiência, e que, apesar de o interesse de sua cliente estar sendo defendido pelo juiz, pois era a advogada da parte autora, morria de medo de que, em algum ponto, ele se voltasse contra ela. Confusões assim tornaram-se a regra.

Não demorou para as primeiras sentenças serem reformadas, anuladas ou revogadas. O tribunal começou a mudar, e inverter o ganho de causa para o INSS. Brandão Júnior também foi solto, aliás, no outro dia. Chegou a dormir uma noite só na cadeia, num local separado de outros presos. Por outro lado, Abraão nem queria saber o que estava acontecendo lá em cima, ou qual era a sorte de suas decisões. Para ele, quanto mais fizesse, melhor. E como ninguém lhe dizia nada, nem reclamava de nada, ele também não mudava nada. Sim, os advogados falavam, e a conversa chegou longe, o que era comum, e de tal forma ordinário, que o juiz, mesmo sabendo, tomou como fato normal que reclamassem de sua nova forma de condução dos processos.

E foi nesse período de licença médica de Kleiton, que Maria Duarte, já recuperada do impacto da notícia de sua filha, comentou com o marido sobre a história do mecânico Marcelo e o filho Fernando Crespi.

Abraão ouviu atentamente, apesar de não demonstrar, abrindo os ouvidos para os detalhes do caso. Propositalmente, também não teceu comentários.

— Quer que eu faça alguma coisa? — ele perguntou, fingindo displicência. Os dois tomavam café da manhã.

— Eu pensei que pudesse falar com esse juiz substituto, fazê-lo mudar de ideia, quem sabe — a mulher lhe falou, sem nem supor o que se passava na cabeça do marido, que já administrava as hipóteses sobre como proceder.

— Ele não vai mudar. Ele me odeia — disse Abraão, talvez tentando demover de Maria Duarte a iniciativa. Mas tocar no termo "ódio" para se referir a Kleiton, fertilizou na esposa outra pergunta:

— E você o odeia também, não é? — Maria Duarte, que conhecia o marido mais que ele próprio, esperou a resposta.

Abraão nunca tinha parado para pensar, mas agora via que a verdade mais pura e simples era essa: ele encontrou no juiz substituto tudo aquilo que representava o que agora batalhava contra. Só não expectava que desse choque, que cedo ou tarde se precipitaria, alguém se machucasse. Mas isso não importava mais para Abraão, uma vez que ele normalizara o anormal, colocara as consequências dos seus atos em estatísticas, agia pragmaticamente, como já o fazia há muito, embora inconsciente.

E sucedeu que a máscara pesava muito, e assumir a função de corpo e alma era melhor, e suas ações todas debandaram da ética e moral pública para uma ética e moral própria e peculiar, privada, íntima, calcada na pedra angular: destruir a desigualdade, nem que para isso eliminasse o superior do desigual. No seu íntimo, pensava em quantas pessoas poderia ajudar, não importava como, desse no que desse. Nesses cálculos, passou a não esquecer, um instante sequer, de incluir o custo da oportunidade, do risco de um lado, e do alívio dos sofrimentos do outro. Era tudo muito bem premeditado, esquadrinhado, pensado e sopesado. *Eles não têm como chegar a essa conclusão*, encerrava sempre com essa elaboração mental. E sua pretensa loucura ia tão longe, que ele mesmo prestava-lhe conta, imaginando que seu álibi era perfeito. Entrou tão fortemente na personagem, tratando até de ensaiar trejeitos para contracenar com adversários, colegas que viessem perguntar "o que está acontecendo", e ele diria, "nada, é exagero, fofoca". Percebeu que sua frieza quando desses momentos havia de se manifestar em sublime perfeição, sem aparentar ou mostrar espanto, medo, sem gaguejar. E por isso treinou. Passou a treinar na frente do espelho do banheiro, tanto do seu quarto, quanto do gabinete. Treinava sorrisos, elogios, caras e bocas, surpresa. Às vezes sentia vergonha, mas na mesma hora entrava na personagem que o engolfava, e o desconcerto passava, porque chegou a um ponto que não tinha mais volta.

Abraão deixou o apartamento, foi para o fórum, e assim que chegou pesquisou sobre o processo do autor Fernando Crespi. Não havia audiências nesse dia, e ele passou a tarde inteira estudando os autos. Viu que Kleiton negou a liminar e ainda faltavam algumas fases para o processo acabar. Então abriu o sistema de minutas e tomou uma decisão, assinou digitalmente, e chamou o diretor.

Muito longe dali, o telefone de Leila tocou. Era o advogado. Ela atendeu e ficou ouvindo, sem falar nada, trocando olhares com o marido, que a aguardava dizer quem era na ligação. Leila desviou o olhar para Fernando Crespi, que dormia num berço apropriado para sua condição. A mãe, mantendo os olhos marejados fitos no filho, empurrava com força o telefone no ouvido, como se querendo ouvir melhor, e com a outra mão segurava o peito, bem na altura do músculo do coração, tencionando controlar uma espécie de emoção em erupção que ameaçava lhe explodir de dentro para fora. Mordeu os lábios, e balançou a cabeça afirmativamente, como se quisesse dizer sim, mas sem falar nada, o que obviamente desconcertou seu interlocutor, pois ele não a via.

— A senhora tem como ficar pronta? — o advogado perguntou novamente.

— Sim, vamos nos preparar — Ela enfim falou, com embargos vocais vencidos pela força materna.

— Que aconteceu? — perguntou Marcelo.

— O juiz, o juiz mudou de ideia e deu o remédio.

Às vezes, pessoas "comuns" entendiam as notícias de processos, quando lhes repassadas por seus advogados, de forma semelhante a presságios. O advogado falou que a decisão saiu, mas Leila entendeu que o juiz deu o remédio. E não foi o juiz que mudou de ideia, foi outro juiz, Abraão. E Abraão não deu o remédio, mas assinou uma decisão mandando o Estado, através do SUS, dar o remédio em 48 horas.

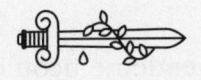

— Dr. Abraão? — o diretor entrou na sala de Abraão.

— Pois não, Roberto.

— O dr. Kleiton, que acompanha os processos pelo celular, me ligou, é... — o diretor Roberto parecia bastante embaraçado. Um senhor que dedicou a vida a uma vara federal. Seus cabelos brancos, muitos dos quais descoloridos pelo excesso de responsabilidade.

— Fale, Roberto.

— O dr. Kleiton me disse que eu não intimasse o SUS, que a decisão que o senhor fez não valia, que vão recorrer, que ela vai cair e eu poderia ser responsabilizado se não o obedecesse.

Kleiton estava de licença médica. Quando isso acontecia, os processos do substituto, ou do titular, quando era o contrário, mudavam para o outro juiz pelo próprio sistema. Era uma operação simples que o próprio diretor da vara fazia apertando alguns botões. Roberto agora não sabia o que fazer, a quem obedecer, pois isso nunca acontecera antes. Tudo que ele sabia era que de alguma forma deveria avisar ao juiz titular que o substituto deu uma contraordem.

— Ele disse isso?

— Sim, senhor.

Abraão sorriu.

— Ele também encerrou a licença. Avisou que voltará amanhã, mas pediu para eu não dizer isso ao senhor.

— Ah, é. Tudo bem — Abraão ficou alguns segundos em silêncio. Virou-se para Roberto e falou:

— Há quanto tempo trabalhamos juntos, Roberto?

— Quinze anos, senhor.

— Você nunca perdeu essa formalidade — Abraão sorriu, e continuou: — Roberto, você vai adoecer daqui a pouco, seu intestino vai acusar a urgente necessidade de você ir para casa.

Roberto arregalou os olhos, mas continuou ouvindo Abraão dizer:

— Mas antes de ir, você vai cadastrar a Lívia no perfil de diretor, como diretora, pelo menos até você melhorar do seu problema. Você me entendeu? — perguntou e sorriu. Era um sorriso doce, beirando a infantilidade, a meninice. Roberto não soube o que fazer, nem o que dizer, a não ser concordar, entrar no jogo do juiz. Todos sabiam do conflito aberto que surgiu entre os dois juízes e ninguém queria ficar no meio. Então a neutralidade se fazia necessária, e Roberto, para tanto, receava represálias de Kleiton.

— Tudo bem, doutor.

Roberto saiu e Lívia chegou. Ela não conhecia as determinações do juiz substituto, e, assim, ficou à mercê do que Abraão fez.

Depois que Lívia, na condição de diretora, saiu, Abraão pensou no que poderia perder. Tudo. Depois pensou no que ganharia. Nada. Nada? Sentiu um frio na barriga, uma agonia, uma necessidade de chamar um palavrão para encerrar tudo. Lembrou que uma criança poderia ser salva, e isso o deu mais força para dizer:

— Foda-se, vá tomar no cu, vão tomar no cu, seus filhos das putas — e encerrou numa gargalhada.

Contrariando todas as regras processuais sobre bloqueio de bens, bloqueio de valores em conta-corrente, bloqueio de recursos públicos, Abraão assinou uma decisão determinando, mandando, ordenando, através dos sistemas de bloqueio bancário eletrônico, a apreensão de doze milhões de reais nas contas públicas da Fazenda Nacional, que é o órgão que cuida da arrecadação de impostos federais. O bloqueio surpresa aconteceu durante a noite, na virada da madrugada. Lívia, que não escondia a apreensão, obedeceu em tudo o que o juiz ordenara.

Pela manhã, quando Kleiton ainda não havia recebido a autorização para voltar, mas essa não tardaria, Abraão ligou para Lívia, que lhe confirmou o bloqueio. Havia sempre dinheiro na conta do tesouro nacional, e a despeito das dificuldades inerentes à burocracia, Abraão teve a sorte de tudo ter sido muito rápido. O juiz podia tudo, e nesse dia, nessa manhã, com o dinheiro bloqueado, Abraão deu uma outra decisão, transferindo o valor de doze milhões para a conta-corrente de Leila, mudando, para sempre, o destino de Fernando Crespi.

CAPÍTULO XIV

O juiz pode muito, mas não pode tudo. Não pode. O poder tem seus limites, porque o sistema foi desenhado levando em conta os abusos que se sucederam no passado, e ainda sucedem no presente, e certamente se sucederão no futuro. Esse parágrafo aprendi nos primeiros anos do meu trabalho. Eu repetia ele como um mantra, que me guiava pela aplicação severa da lei.

Kleiton voltou da licença médica. A cabeça enfaixada. Bom não se esquecer: fora grave o acidente. Aliás, acidente para ele, Kleiton, que não lembrava de nada, e ignorava a tentativa de homicídio de que foi vítima. Sua pequena cabeça, envolta de fios loiros, chocou-se com o próprio birô, abrindo um corte. E foi bom que abriu e sangrou, porque médicos ainda abriram mais para retirar-lhe o sangue coagulado, e de cujas partículas livres se temia o pior: uma isquemia e derrame. Já pensou? Não foi o caso para meu azar. E lá estava Kleiton cabeça-enfaixada, firme e forte. Tão forte que por pouco não avançou para morder os servidores que deixaram, segundo ele, Abraão fazer o que fizera num processo do juiz substituto.

— Era meu processo! Meu processo! — esbravejava aos quatro ventos, arriscando um acidente vascular cerebral.

Abraão não estava lá. Assim que liberou os valores bloqueados, foi para casa. Desligou o celular ao chegar e se reuniu com a filha e a nora, além da neta. Saíram, divertiram-se, jantaram fora, todos juntos, inclusive Maria Duarte, a quem o marido sonegou os fatos de mais cedo.

Os dias transcorreram normalmente. Chegou o tempo de férias, e o juiz titular presenteou-se com uma viagem, há muito imaginada. Foram esposa e esposo para Alagoas, praias lindas. Evitaram o lugar onde a filha teve uma mal-lembrada lua de mel. Alugou um carro e pensou que seria uma boa ideia visitar os cânions do velho Chico. No caminho, no alto sertão, o carro quebrou.

— Calma, Maria, eu vou tentar consertar — dizia Abraão espremido entre o capô aberto do carro. O calor puxava o ar de seus pulmões, e a visão turvava cega um palmo a frente. Fingiu saber o que fazia, mas logo Maria Duarte percebeu que estavam entregues à sorte no meio do nada, pois para a cidade mais próxima corria-se no mínimo quarenta quilômetros.

— Não sei — enfim desistiu, e os dois deixaram o carro no acostamento, para procurarem uma árvore, ou um pé de pau, como se dizia por lá, que fizesse uma sombra, abrigando-os do sol do meio-dia. Acharam e lá ficaram. A sorte era boa, porque logo parou um caminhão baú próximo do carro enguiçado. Dele desceram dois, um jovem magro, com a cara cheia de espinhas, e um velho, com um chapéu de palha, e cara cheia de pelos, a começar pela barba enorme. Os dois usavam fardas de uma empresa de móveis.

— Quebrou, né? — perguntou o jovem, aproximando-se do casal, que também ia ao encontro da ajuda. O rapaz segurava a chave do caminhão, dando conta de ser o motorista. Se muito, tinha dezenove anos.

— Parece — Abraão assentiu.

— Oxe, isso é peixinho pequeno, é bateria — disse o velho, já embutido dentro do capô que permaneceu aberto, mexendo lá e cá.

— Ele sabe consertar — o menino falou, aparando o sol com a mão. — "Cês" não são daqui não, né?

— Não — Abraão respondeu. As respostas curtas vinham não da impaciência, ou intolerância, mas do cansaço e torpeza do corpo. O carro parara de vez, não funcionava nada, nem o ar-condicionado, e já contavam, Abraão e Maria Duarte, com mais de trinta minutos naquele calor evaporante.

— Pronto, dê na chave seu Zé — disse o velho, depois de ter feito uma chupeta na bateria. Abraão assim obedeceu, alegrando-se intensamente ao sentir o tremular do veículo ao funcionar.

Abraão agradeceu imensamente. Tirou da carteira duzentos reais para dar aos ajudantes desconhecidos.

— Quero não, senhor — disse o velho, enquanto o novo ficou olhando para as notas.

— Peguem — Abraão insistiu.

— Só porque o senhor insistiu três "vez" — disse mais uma vez o velho, e Abraão, sem entender, ficou parado. Todos ficaram parados.

— Ah, sim. Tome, pegue — Abraão insistiu pela terceira vez, e ambos pegaram o agrado. Despediram-se e foram.

Já de volta das férias, Abraão pensava no acontecido. Se ele não oferecesse nada, não pediriam nada. Aliás, refugaram a primeira e a segunda vez. Achou interessante como a solidariedade era algo ainda possível de ser encontrada, e o quanto ela, pondo-se em prática, era um valor tão acalentador. Recordou que não ficaram totalmente num deserto de carros e pessoas, já que dois ou três passaram enquanto eles estavam encostados. "Pensam que somos assaltantes", Abraão conjecturava ao ver o socorro fugindo. Solidariedade. *Eles, o jovem e o velho, não tinham muito a perder, tinham?* Talvez, provavelmente, seja isso, seja esse o grande segredo de ser solidário: ter o suficiente para não sofrer do medo de não tê-lo mais. Ou não? Quem sabe?

De volta, o juiz titular não tardou para tomar conhecimento do real teste de sua vida. Várias reclamações, representações, ações, pedidos de procedimento disciplinar, tudo isso no tempo em que ele estava de férias. Processos protocolados, ajuizados, requeridos aos órgãos de Corregedoria, tanto a regional, como a nacional, qual seja, o famoso e temível CNJ — Conselho Nacional de Justiça.

Abraão enfrentou a notícia dos processos com serenidade. Não era surpresa alguma a enxurrada de acusações. As piores vinham de Kleiton cabeça-enfaixada, que desengavetou o Dossiê Condor. O resumo apontava fatos graves, segundo os quais Abraão se envolvera com uma parte processual, autora de ação de pensão por morte, a senhorita Maria de Fátima, havendo provas contundentes de que ele praticou não apenas prevaricação, que é o crime cometido pelo servidor público que deixa de fazer algo em interesse próprio, mas incorreu em algo pior. O juiz substituto formulou que Abraão cometera corrupção ao obter vantagem indevida, vez que havia fortes indícios de que Maria de Fátima lhe prestaria favores sexuais, tendo em conta ser o acusado casado, e ainda assim acolheu e custeou despesas de Maria de Fátima. Abraão se enfureceu, não por si, mas pela calúnia de ter envolvido outra pessoa. A denúncia não fazia sentido jurídico nenhum, era só uma forma de ofensa travestida de documento processual, para dar a Kleiton um ar de legitimidade mesmo dizendo enorme despautério. Isso cegou Abraão para uma defesa racional, e colegas o incentivaram a pedir uma licença sem vencimentos.

Mas não foi preciso o afastamento voluntário, porque a própria Corregedoria Nacional o afastou, ao receber outra acusação, essa sim grave, acerca do agir do juiz no processo de medicamento. Ao bloquear os valores nas contas governamentais, sem observância de prazos para recursos (infinitos recursos), e transferindo logo em seguida para a mãe da criança, Abraão violou gravemente os deveres impostos pela lei da magistratura. Somou-se a isso a forte denúncia de abuso de autoridade, quando Brandão Júnior representou pela abertura de inquérito contra o ato do juiz que determinou a prisão do réu em audiência, sem qualquer requisito para tanto. A lei de abuso de autoridade previa a hipótese de crime, e advogados preparados não deixaram Abraão escapar. O risco de o juiz ser preso, embora remoto, corria com o risco de uma aposentadoria compulsória, ou até mesmo uma demissão. Finalmente, outro fato se somou: era bem sabido que o procurador do INSS que fez o acordo no processo de Maria de Fátima para que essa recebesse a pensão de Rute, mesmo sem documentação para comprovar, recebeu valores de uma herança de seu falecido pai, em precatório milionário liberado por Abraão. Tudo fora como parte de um aperto de mão implícito entre ambos. Kleiton, dessa vez com olhos de águia, não deixou passar, pois a justiça estadual estava há meses enviando ofícios com pedidos de esclarecimentos sobre a liberação dos valores que deveriam ser enviados ao processo de inventário, onde meia dúzia de herdeiros, filhos e netos do dono do precatório, aguardavam o valor para rateio. O procurador, portanto, havia recebido tudo sozinho.

 Em outras eras, o castelo de cartas que caía sob os pés de Abraão teria cortado de vez sua razão. Mas o juiz parecia tranquilo ao receber, ler, tomar ciência, e até mesmo compreender a gravidade das acusações. Afastado do ofício, Abraão passou os dias em casa, com a família, que já não mais ignoravam a tempestade que se tornou a vida do marido, pai e sogro. Nem parecia ele, que agora ajudava a filha e nora, ficando com a neta, enquanto elas trabalhavam. Maria de Fátima arrumou um trabalho e Samanta já dava sinais de total recuperação, o que só não se deu por completo por causa do breve tormento da situação tortuosa do pai.

Abraão, com toda sinceridade de alma, aceitou o destino, viesse o que viesse. Para ele, a vida como juiz, se não foi um fracasso, foi no mínimo uma busca insensata de algo que nem ele nem ninguém sabia. E na luta frenética, que começou antes mesmo da aprovação, quando estudava dezoito horas diárias, não encontrou nenhum propósito a não ser o de viver bem, contando para isso com a necessidade de também ganhar bem, o que soube depois que da mesma forma era uma ilusão. Apesar de seu estoicismo, lembrou de que ainda tinha muito a fazer sendo juiz, muitas pessoas ainda precisariam da sua decisão, da sua sentença, que era a sentença do sentir verdadeiro. E então ele, no sofá de seu apartamento, entristeceu-se ao vislumbrar a hipótese de tudo acabar. Mas só por um átimo, porque depois de deixar cair os braços, pendida a cabeça, e prestes a chorar, deu-se em si um soco no peito para gritar, "Eu ainda posso brigar!".

Ergueu-se o Davi contra o Golias, e tomado pelo êxtase do momento, mesmo sem saber o que fazer, por onde começar.

EPÍLOGO

Foi só um sopro de coragem, e o David de Abraão deixou ir ao chão, em pouco tempo, a peteca, funda, seja lá qual seja a arma. Logo depois, na primeira dificuldade, Abraão recaiu. Se a vida é assim, porque a ficção seria diferente? Arroubos de alegria vêm e vão e nem nos damos conta de como mantê-los juntos a nós. No sacrossanto vácuo que eles deixam, deita a tristeza, e ela é uma inquilina que paga em dia e exige ficar em nosso coração.

Os primeiros gatilhos foram as dificuldades na contratação de advogados, e a cobrança caríssima de honorários, sem contar com o diagnóstico e prognóstico que davam: expulsão, demissão, aposentadoria compulsória, tudo de mal a pior. Muito comum também era a mudança de advogados durante o processo, o que se dava por inúmeros fatores. O dr. José deixou o caso, o dr. João assumiu. Depois, foi constituído bacharel dr. Evandro, e depois o Padilha, e o Afonso, e finalmente o dr. Mateus, que por coincidência era o mesmo advogado do carteiro.

Em paralelo à defesa, Maria Duarte se socorreu da família de Fernando Crespi, contando a eles a injustiça, palavras da esposa, que estava sofrendo o juiz que sacudiu os cofres públicos de cabeça para baixo para dar ao pequeno filho do casal o remédio mais caro do mundo. Fernando Crespi crescia normalmente, com muito boa evolução. O garoto era posto sentado, e nessa posição permanecia sem ajuda alguma, algo inimaginável para quem sofria da mesma doença, mas sem o devido tratamento. A ventilação mecânica também não era mais necessária, porque o muscolozinho do diafragma já recebia melhor os incentivos neurológicos para um adequado funcionamento. Os problemas gastrointestinais arrefeceram, cuidados foram reduzidos, paz relativa voltou a reinar no ambiente familiar, devolvendo a Leila a vontade de viver, e a Marcelo o sorriso e a poesia. O casal não pensou duas vezes em participar de um programa, uma ideia que surgiu deles próprios. A chamada do jornal televisivo viria com o título "criança recebe remédio mais caro do mundo". Logo depois, a história de Fernando Crespi seria contada com todas as técnicas de roteirização, tudo com o objetivo de impactar, emocionar, e também enfurecer. Isso porque a segunda parte seria deslocada para Abraão, e toda a perseguição que vinha sofrendo, palavras dos editores. Detalhes processuais, por óbvio, seriam deixados de lado. O foco, o alvo, seria tão e tão somente a ação disciplinar contra Abraão por conta da sua rapidez, de sua celeridade, em mandar bloquear contas governamentais: não haviam de se esquecer o fato importantíssimo de que o tratamento apenas surte efeitos em crianças de até dois anos. Sabia-se que evidências mostravam o contrário, mas quem precisava saber de evidência contrária a uma boa história? Assim, o quadro contaria, no final, com depoimentos de especialistas e médicos neuropediatras para falar sobre a necessidade de se iniciar o tratamento o quanto antes, e o fato de que o remédio era importado, havendo sempre um atraso natural de algo que vem de outro continente. Outros especialistas, advogados e professores de direito, falariam sobre as regras processuais, e quantas e quantas vezes são, foram, e ainda serão violadas para fazer valer e se cumprir o que diz a Constituição, a saúde é um dever do Estado, e o direito à vida vem sempre em primeiro lugar.

Tudo visto, revisto e ajustado; câmeras, luzes e ação, e as filmagens foram feitas em menos de uma semana. Abraão não apareceu em nenhum momento, salvo na condição de juiz pego saindo e entrando no fórum, ou então pela captura de sua imagem através de fotos disponíveis na internet. E como se não bastasse, as associações de pais e mães que lutavam pelo direito de obter do Estado remédios de alto custo também foram contatadas, pois todo apoio era importante, embora pouco tempo de fala fosse destinado a elas.

Até onde deu certo a estratégia era impossível mensurar. O processo corria de forma independente do que se falava aqui e ali, principalmente na TV. O programa foi ao ar, e só não chegou a viralizar nas redes porque as notícias se consomem umas às outras numa velocidade que não dá tempo à proliferação, salvo quando se trata de algo simples de contar, ou muito absurdo a ponto de reter a atenção por mais de um minuto. Não era uma historinha simples como a de Abraão que ia longe.

Mas aí Maria de Fátima resolveu abrir a boca. Ó Marias, que seria deles sem vós? Já que seu nome havia sido veiculado pelo juiz substituto, a moça, mãe de Rutinha, armou-se para ir longe e fundo na sua rede de amigas e amigos. Convenha-se: falar de um caso de uma criança doente e um remédio milionário era assunto de interesse, digamos, de pais e mães. Mas falar de um juiz que deu abrigo a uma colega da filha, e ao lado disso serviu de cupido para que entre elas surgisse um caso de amor, talvez uma antiga brincadeira de amor, aí o negócio mudava. Não só chamar atenção para o fato inusitado, mas restabelecer a verdade, pois no trabalho de Abraão a história inventada por Kleiton mentiroso, aquela de que o juiz titular teria um romance sórdido com a parte de um processo, essa mentira deslavada, começou a ganhar plausibilidade. E foi o casamento entre Samanta e Maria de Fátima, sem tanta pompa e gastos e glamour, mas com muitas fotos e amigos diversos e numerosos, que selou de vez a falsidade da acusação. Maria de Fátima era a nora que Abraão procurou para a filha.

Quem não gostou nada foi a esposa Maria Duarte. O peso da notícia já tinha passado, e agora retornava com mais força, dada a penetração do burburinho que caminhou rápido até a paróquia em que a esposa do juiz era irmã fiel e serva dedicada.

— Vocês foram longe demais — reclamou. Mas logo deu a entender que era pura formalidade de alguém que queria manter a aparência, pois muito no fundo, Maria Duarte concordava, ao mesmo tempo em que rezava pedindo perdão.

Uma coisa puxou outra, e a história das amigas que se casaram, e que o juiz, pai de uma, fora o principal responsável, atraiu a atenção de outros setores, como as associações para a reforma agrária, que acompanhavam o caso do processo penal contra Brandão Júnior. Logo tomaram pé de que foi o mesmo juiz que mandou prender, de bate e pronto, o vilão de inúmeras famílias, e agora estava prestes a perder o cargo. Levantaram-se dezenas de centenas de pessoas, o povo da roça, e entre ele a indignação se deu como uma peste que se espalhava no ar. Assim repetiam-se histórias de como o juiz, pela benevolência, aposentou José e Maria, inclusive Madalena, que teve seu processo julgado procedente no período em que Kleiton ficou de licença. E não era de se admirar o apoio desse grupo, uma vez que as senhoras aposentadas começaram a procurar o nome do doutor juiz que deu o aposento delas. Muitas ligavam para o advogado, procurando saber se o juiz do seu processo era o mesmo. Na prática, obviamente não fazia diferença nenhuma ter sido aposentada por Abraão ou outro. Mas entre elas, era como a diferença entre receber um milagre direto de Jesus, ou de outro santo qualquer. Surgiram lendas, que pela tradição oral ou correntes de aplicativos de mensagens, se somavam ao falatório inventado, aumentado, ou reduzido onde o ponto desfavorecia ao juiz. Logo o nome Abraão começou a circular em mais e mais lugares. Foi tão longe que alguém, que é impossível saber quem, romanceou a história de que Abraão estava sendo acusado pelo juiz Kleiton após uma rixa cruel e sangrenta, onde o malvado levou a pior, e tudo porque a pendenga decorreu de um fato macabro praticado pelo juiz substituto. A corrente de WhatsApp mencionava que, depois de ter feito um desfeita com a copeira de nome Juana, a ponto de a senhora idosa ter passado mal, o juiz substituto pediu a demissão da pobre desvalida, e isso motivou o outro juiz, o defensor dos fracos e oprimidos, a ir até a sala do, até então colega, e dizer "umas verdades". Ânimos exaltaram-se, a discussão acalorou-se e, para se defender, Abraão foi obrigado a usar dos meios para derrubar Kleiton, que se feriu, mas não a ponto de morrer.

Abraão começou a viver um inferno depois que a coisa saiu do controle. Quase todas as notícias, principalmente em correntes, vinham com fotos, montagens, informações verdadeiras misturadas com falsas. Seu perfil, criado por sua filha, já contava com milhares de seguidores, e embora ele não mexesse, nem respondesse, nem postasse nada, pois tudo era feito pela filha e nora, ele ficava sabendo das mensagens de apoio, e também das invencionices.

— É preciso parar com tudo isso — falou para Samanta, que o ouviu, mas não se importou em fazer o que o pai pediu.

Apesar de toda essa pressão midiática, que em tese não deveria exercer influência nenhuma no julgamento do juiz, o tribunal, através do órgão especial, que é o responsável pelos processos disciplinares, acolheu parte das acusações, e Abraão foi aposentado compulsoriamente.

A torcida se revoltou, e me coloco incluída no meio. Que filhos da puta! O assunto foi geral. Sites, blogs, vlogs, notícias, jornalistas, imprensa local e regional. Não demorou para que a nacional também captasse o engajamento que o assunto estava dando, e sem que ninguém esperasse, um grande programa jornalístico das noites de domingo procurou Abraão e a família. Ele não quis mais exposição, deixou que o advogado falasse em seu lugar. A filha e a nora foram entrevistadas e, em que pese não tenha tido o impacto esperado, a matéria serviu para chamar mais a atenção. Abraão, desde o princípio, não dos processos, mas da mudança interna consigo, já sabia das consequências e vivera o luto antecipado, a aflição cujos sintomas eram públicos e notórios, a angústia que desatava nas convulsivas crises de choro. Era vontade de desistir, de abandonar tudo. Todavia, apesar da evidente questão psicológica, da eventual depressão, do decaimento das vontades, da morte dos ânimos, Abraão suportou tudo até o final, o que seria impossível não fosse a ajuda da esposa, filha e nora.

E o final não foi a aposentadoria compulsória, pois o processo não acabou aí, porque dr. Mateus recorreu, e tudo foi ficando mais longo, mais demorado, mais distante, tanto os fatos dos próprios autos, como os que os arrodeavam, de maneira que o tempo de tramitação das apelações foi apurando a paciência dos julgadores. Não era a pressão das redes a causadora de maior ou menor impacto no convencimento dos desembargadores, mas sim a força contrária, a energia daqueles que se julgavam melhores que Abraão, colegas e outrora amigos. Sim, os próprios colegas de Abraão, quanto mais exposição o juiz ganhava, quanto mais era aplaudido por erros que cometeu, mais seus próprios colegas se revoltavam.

— Que loucura o Abraão fez, tem que se aposentar mesmo — quase todos diziam.

E o ex-juiz ficou até o derradeiro momento, quando depois de dois anos de tramitação, finalmente a decisão foi reformada, e a aposentadoria foi convertida em pena de remoção, a bem do interesse público. Abraão voltou à ativa, mas foi mandado para a Cochinchina, sendo juiz federal num outro local, para onde se mudou com a família inteira.

⚔

— Como se sente? — dr. Molina perguntou.
— Me sinto bem, na verdade, ótimo.
— Você tem vindo com regularidade, e talvez isso esteja rendendo melhoras.
— Eu também acho.
— Você sabe que precisamos encerrar em algum momento?
— Sim, sei. Acho que esse é o momento.
— E eu, como seu analista, também acho.

Houve um silêncio. Os dois se levantaram, dr. Molina o acompanhou até a porta, e antes de apertarem as mãos, fez um muxoxo, indagando em seguida:

— Eu já fiz essa pergunta, você deve ter respondido, mas não quero que vá e me deixe sem a confirmação, então gostaria que me respondesse mais uma vez — Abraão assentiu, e o psiquiatra prosseguiu: — Quando decidia sabendo que não era o que estava na lei, o que você sentia?

— Prazer — o juiz respondeu rápido como a luz. Parecia esperar a pergunta. O médico confirmou a tese, estendeu a mão, ambos se cumprimentaram, e Abraão foi embora.

Agora chego ao fim da história desse juiz rebelde e violador da lei, da doutrina e jurisprudência. Lei que ele jurou obedecer, ele jurou, minha mãe tem o juramento dele... Quem é que está me ligando? Só um instante, meu telefone está tocando.

"Oi, papai..."

Com licença é meu pai numa ligação.

"Sim, estou ouvindo, a ligação está um pouco ruim, mas..."

(Silêncio)

"Como é? Isso é um absurdo!"

(Silêncio)

"Pai... pai, o senhor precisa deixar eu falar... Ok, olha, eu não vou conversar sobre meu trabalho. Isso é inapropriado. E não! Também não vou mudar a decisão do CNJ..."

(Silêncio)

"Pai, eu não ligo para o que esses velhos que jogam xadrez com o senhor pensam. Pai, pai, xiii..., não estou te ouvindo, xiii... tem uma interferência, deve ser a área aí no Olimpo, tem um chiado, xiii..., provavelmente os trovões e raios, depois a gente se fala, viu, beijo, tchau, te amo!"

FONTE Janson Text LT Std
PAPEL Pólen Natural 80g m/²
IMPRESSÃO Paym